JN072964

中上健次

髙澤秀次 編・解説

現代小説の方法

増補改訂版

作品社

現代小説の方法【増補改訂版】目次

現代小説の方法【増補改訂版】

現代小説の方法

第一回　小説を阻害するもの

ペシャワールの風景

四回にわたって「現代小説作法」という題で、小説の書き方みたいなものをお話ししようと思います。小説の書き方をいうのは、当然今の時代ですから小説の読み方にも通じる。大体よく読めない人間というのはよく書けない。そういう相関関係をもつ形のものだと思うんです。今日は一回目だから、皆さん方と話をするということと、どんな人が来ているのか自己紹介してもらう。四十人くらいですか？　密室に閉じこもった状態なんで、お互いに認知し合わないと。そういう形でやっていきたいと思います。じゃ最初に誰か自己紹介してください。その後ろのほうからでいいですから次々立って。（自己紹介省略）

今日話しようと思っているのは、小説というものがだんだん書き難くなって、それの元凶というか、なぜそういうことが起こっているんだろうかを考えてみたいんです。

ちょうど五日くらい前まで、さっきから聞こえている歌を歌っている場所に行ってたんです。そこはパキスタンのペシャワール[1]のあたりで、そこに十八日間くらい取材で行っていて、あそこはご存知のように回教なんですね。イスラム教で全然日本と宗教が違う所です。日本のようにこんなふうな近代化の道を進もうとは思っていない場所なんです。そこでいろんなことが見えてきたんです。そのことも含めて小説を阻害するものは何だろうということを話してみようと思います。

皆さん今日来てくれて、これから四回聴いてくれるその皆さんが描いている欲求にどれくらいまで応えられるか、それこそ一回分いくらに値するかどうか分からないけど（笑）、そういうことで、何回かに分けて、今回

▼1　ペシャワール　アフガニスタン国境に近いパキスタンの都市。ソビエト連邦軍がアフガニスタンに駐留していた一九八〇年代、アフガン人ゲリラの最前線であるとともに、無数の難民キャンプに囲まれた「難民都市」でもあった。新宮市立図書館（丹鶴ホール四階）内の中上健次資料収集室には、現地から投函しそびれたらしいハガキ三点が収蔵されている。

は小説を阻害するもの。次の回は小説というのはどんなふうに成り立っているのだろうか、主人公をどんなふうに書けばいいのか、あるいはどんなふうに読んでいけばいいのか、どうすれば小説を深く読めるんだろうか、たぶん二回目はそういうことです。三回目は構造の問題、たとえば短篇小説と長篇小説の違い、あるいは日本の長篇小説と外国の長篇小説の違い、あるいは日本の短篇小説と外国の短篇小説の違い、そういう構造について話したいと思います。四回目は、この本屋さんはお酒飲みが揃っているらしくて、全部コンパになってるんだ。

主催者[2]　終わってからですよ（笑）。

僕は何回目でもいいですよ。じゃ四回目は別なこと考えておきますけど。質問がありましたら時間延長してもいいですから質問して下さい。嫌な質問は即刻中止命令を出しますから（笑）。

まあ、パキスタンという国ができるあたりから、本当は皆さん知っておかなくちゃいかんですね。もともとインドと称された所ですね、パキスタ

▼2　**主催者**　司会をしていたのは、このイベントのプロデューサーでもある東京堂書店の林建二。「『福田恆存全集』を冊数にして千冊は売った」などの逸話を持つ、名うての書店員である。また、「渡海」の号で俳句を嗜んだ。二〇〇五年逝去。

ンというのは。それがガンジー▼3の独立運動とかがあって、イギリスからインドが独立したと。さらにその後インドとパキスタンが分離した。東と西のパキスタンがインドを挟むようにしてありますよね。今度行ったのは、西の方のパキスタンがインドに当たるのかな。別の方はバングラデシュになるのかな。パキスタンというのは、イスラム教というのを国の宗教にしているわけです。突然僕らがそこに飛んでいくと、回教徒の宗徒に対してものすごく面白いショックを受けるんですね。今日は何人か女の人いるんだけど、女の人はいないんですよ。いたとしてもベールをかぶっていまして、チャドというんですか、顔はぜんぜん見えない。あれは網のようになっていまして、被っている方から見るとちょうどサングラスのように透けて見えるんですよ。男天国みたいなそういう所なんですけど。単にそれだけじゃなくてイスラムの特徴というのは、独特な戒律を持っていて、「目には目を」▼4とかそういう戒律がある所ですよね。

そのアフガニスタンとの国境はパターン族、向こうではパシュトゥーン族▼5というんですが、そのエリアなんですね。そこに住んでるんですね。それがたまたまパキスタンが国として独立するときに政治的なもので境界を引いて、▼6今のアフガンとパキスタンの国境ができたんです。ところが彼ら

▼3　ガンジー、マハトマ　一八六九―一九四八。本名はモーハンダース・カラムチャンド・ガンジー。「偉大なる魂」を意味するマハトマは通称。十九世紀末から南アフリカのインド人の参政権保全にかかわり、非暴力抵抗運動を組織。帰国後、国民会議派の主導者として、宗主国・英国に対する反帝国主義民族活動を行う。断食による抵抗と投獄・釈放を繰り返しつつ、四六年のインドおよびパキスタンの自治領化に貢献。四八年、狂信的なヒンドゥー教徒によって暗殺。

▼4　**目には目を**　コーラン「食卓の章」四十五節に、「命には命、目には目、鼻には鼻、耳には耳、歯には歯、全ての

はもともとは自分たちのエリアだということで、国境なんてなきに等しい状態で行ったり来たりしてるんです。アフガンにソビエト軍が入って、僕が行ったときはちょうど春期攻勢で、パンシェルバレーという谷で非常に激しい戦闘がロシア軍によってやられた。そういう状態にも関わらず、僕らがいるペシャワールというこっちの町で絨毯（じゅうたん）屋がありまして、そこで毎晩お茶飲んでラジオを聞かせてもらったり、そのアフガンの状況を教えてもらったりしたんですけど。

そこに一人のおじさんがひょこっと居るんですね、おじさんに聞くと、こいつに金を貸してるんだと、それを取りにきたんだと、カブール[▼7]で戦闘が起こってるんだけど、おじさんは全然そんなことは気にしないで、借金を取りにペシャーワールの絨毯屋まで来たというんですね。借金払ってもらうまでは帰らないと。僕はびっくりしましてね、国境をそんなに簡単に越えられるものかと思うし、戦争の最中にひょこひょこ借金を取りに来るなんて、そんな悠長なことをしてるのにびっくりしたんです。そういう状態でアフガン難民も平気でこっちに出てきてパキスタン側で生活しているし、僕が居たときもアフガン難民が六百名の軍団を組織して、これからパンシェル谷に応援に行くんだという連中に会いました。あの辺りでなけれ

傷害にも報復を」とある。ただし、それはユダヤ教の流れを引くものであり（「出エジプト記」、「レビ記」などに同様の記述がある）、さらに遡れば紀元前十八世紀のバビロニアで定められた『ハンムラビ法典』に至るわけで、これ自体がイスラムに独特なものではない。また、コーラン同節には続けて「その報復を控えて許すならば、それは自分の罪の償いとなる」との記述がある。

▼5　パシュトゥーン族　アフガニスタンとパキスタンに居住する民族。十九世紀に始まったイギリス―アフガン戦争のなか、一八八〇年におけるアフガニスタンのイギリス保護領化と一八九三年のデュ

ば見られない状態、世界中であそこだけがそういう状態である。

もう一つ、僕らが入っていってびっくりすると思うのは、皆さん知っているようにガンダーラ[▼8]という場所ですね。あそこ辺りはインドで発生した仏教というものと、ギリシャの軍隊との衝突の場所、混淆の場所ですね。たとえば東洋文庫に入っている、『ミリンダ王の問い』[▼9]なんかはそのあたりのことが書かれたものです。ミリンダ王はギリシャ人です。それが坊主を呼んできて仏教とギリシャ哲学の問答をするんです。結局ギリシャ哲学は仏教に負けてしまう、そういう話なんですね。それはガンダーラなんかができるような、そういう思想的土壌を語ってるんですね。

それもガンダーラから見れば、仏教なんかに負けなかったというかもしれない。これは仏教の方から書かれているから。そういう『ミリンダ王の問い』という本があるんです。そういうギリシャと仏教との衝突、混沌、それが遺跡としていくつもあるんですね。僕は入っていって日本にないもの、いろんな形で日本で考えていたものが、急激に皮を剝かれて坩堝(るつぼ)の中に放り込まれたような、まだアフガン呆けというかペシャワール呆けみたいな状態なんですけどね。

ランド・ライン策定、さらに一九一九年のアフガニスタン独立を通じて、帰属をふたつの国にわけられて今日に至る。主としてイスラム教を信仰し、イスラム教原理主義集団「タリバン」の主たる構成民族のひとつでもある。

▼6　政治的なもので境界を引いて　前記註のとおり、パシュトゥーン族の分割は一八九三年のデュランド・ライン(アフガニスタンと英領インドの境界線)策定によって行われ、一九一九年のアフガニスタン独立により確定された。一九四七年にイギリスがインド独立を認めるに際し、当時比較的西欧化が可能と思われたイスラム教地域のみを分離独立させた結果、パキスタン

もう一つ、こういうことも言いたいんだな。ペシャワールという町に入っていきますと、ほんとに人で、人というのは男です、男でごったがえしているんですね。ハエがぶんぶん飛んでいて、食うものはほとんどカレーばっかりです。十八日間居ましてね、朝、昼、晩カレーばっかりなんです。三度三度カレーで閉口したんですが、いろんなこと考えたんです。われわれはカレーを匙ですくって食うんだけど、むこうは手でこう、ナンというパンがあるんですが、いろんなものを入れてそれだけで栄養があるんだろうけど、うまくないです、そのパンをちぎってカレーを上手にすくって食うんです。手で食っていますと、だんだんバカになってくるんです。不思議なもんですよ。われわれ文化だなんて言って、こういう違いが文化だと思わないわけね。真似するっていうのは、手が道具でしょ、道具を持たないという状態は、ほんとに人間の原初というか、剝き出しになっちゃう。例えば箸を持つということは、文化のコードの中に完全にはまってしまう。箸をもつと行儀をよくすることができる、箸持たないで手摑みで食っていると、だんだん恍惚としてくるんですよ。最初ね、着いた日にスパイスがあってうまいんですよ。手で摑んで食べているというのと、カレーのスパイスの効用もあって、自分がどのくらい食べているのかとか、どんなふう

が成立するが、ここではインド・パキスタンの国境が政治的に策定されたものであり、本講演ではそれらが混同されているものとおぼしい。

▼7　カブール　アフガニスタンの首都。パキスタン領であるペシャワールまでは国境を挟んでいる。一九七九年のソビエト侵攻によって占領され、八八年までその支配下に置かれた。その経緯から、九〇年代に至るまで、激しいゲリラ戦と内戦の舞台となった。

▼8　ガンダーラ　紀元前六―紀元十一世紀に存在したインド西北部の王国、およびその支配地域。地理的には、カブール川の北岸、いわゆるペシャワール渓谷に存在する。

▼9　『ミリンダ王の問い』

に食べているのかとか、そういう感じなくなってしまうんですね。その日食い過ぎましてね、二日くらい何にも食べたくなくなっちゃたんですね。そういうこともちょっとショック受けたんです。

もう一つ、果物がいっぱいあるんです。子供たちが町角でサトウキビを、皮剝いて小さく切ってお菓子みたいに売っているんですね。一袋一ルピー▼10で。甘いのでハエがいっぱい集（たか）ってるんですね。それをジュースなんかにして、ハエの糞なんかも混じってるんだろうけど、結構うまかったですね。それから、今度は飲めなかったんだけど、ザクロの実を上から押しつぶしたジュースだとか。日本で金出して飲めばすごく金取られるだろうというのが、一ルピーとかで、ただし腸の弱い人とか衛生に神経をぴりぴり尖らす人は飲めなかったんですが。ただ飲んでこんなこと感じたんですね。

例えばランボー▼11がね、フランスで詩を書いていてフランスのサロンで天才的な詩人だとみんなからちやほやされる。ところがランボーは突然詩を焼き捨ててアラブの世界に行った。アラブの世界というのは、そんなふうな物の輝きみたいな、ザクロのジュースなんてこんな美しいものないって、皆さんご存知ないと思うけど、ザクロの実そのものもきれいなんですね、

北アフガニスタンのアム川流域にギリシア人が起こした「バクトリア王国」の王・メナンドロス（ミリンダ）と仏僧ナーガセーナによる、西洋的思想と東洋的思想の対論。原型は紀元前一世紀に成立したとされ、のちにパーリ語に翻訳されたという。漢訳は『那先比丘経』として残っている。

▼10　一ルピー　現在の日本円では約一・五円。30ページの中上の発言に従えば、当時は二十円程度か？

▼11　ランボー、アルチュール　一八五四—九一。フランスの詩人。詩集『酔どれ船』によって十歳年長の詩人、ヴェルレーヌに才能を見いだされ、パリでの共同生活と破綻

ルビーみたいな感じでね。ジュースというのは鉱物のルビーでできたジュースというイメージなんですね。これ言葉にしてみれば、東京でもパリでもいいんだけど一つのメタファーだったものが、修辞だったものがね、そこでは現実にあるんですよ。もちろんハエの糞と一緒にあるんだけど、だけどものの輝きというのは確かにそこにある。ランボーがアラブの世界に、全部捨てて行ったというのは、そんなものの輝きに魅せられて、言葉であだこうだと修辞的な言辞を弄していることなんか、実につまらんことだと気づいて行ったんだろうと、そういう気がしたんですね。

で、そういうランボーみたいなこと考えていたら、今度行ってね、ストーリー・テリング・ストリートとかあるんですよ。中上健次泣かせみたいな場所なんですね。語り部通りっていうんですかね、ペシャワールというのはシルクロードの拠点だったり、ガンダーラの中心地だったし、いつも都だったからいろんな人間が入ってきて、いろんな人間が出て行くという所だったわけです。あるとき、通りでインドのことを語る奴がいるんですね。インドではこんなことが流行(はや)っている、こんなことが起こった、インドのガンジー▼12という首相は嫁をどうしているとか、それを通りに立って喋っているんです。聞き終えると金払うんです。町の情報をそこで交換し合

による拳銃事件を経て『地獄の季節』を発表。早熟な、象徴主義の先駆けとも呼ばれる一連の詩は、のちの中原中也や小林秀雄らにも影響を与えた。二十代はじめですでに詩作をやめ、紅海付近を放浪ののちエチオピアへと至って商人となり、三十七歳の若さで他界。

▼12 ガンジー、インディラ　一九一七—八四。インド初代首相であるジャワハルラール・ネルーの娘。マハトマ・ガンジーとの血縁関係はない。十二歳から反英運動に参加し、一九六六—七七年と八〇—八四年の二度にわたって首相を務める。八四年、シーク教徒過激派によって暗殺。「嫁」はインディラの長男、ラジー

ってるんですね。旅人たちもその話を聞いて、あそこは物が安そうだとか、いい物がありそうだとか、あそこは恐ろしいから行かないでおこうとかという具合に、そういう、ある交通の結節点みたいな場所なんですね。そこからほうぼうに行くし、集まって来るし、そういう場所なんです。そのあたりをうろうろ歩き回って――日中は四十度くらいあるんですよ。東京で歩き回って腹すくと何でもぱくついちゃうんだけど、いくらなんでもまたカレーかと思って。酒がない国ですからね、いつもジュースとかアイスクリームだとか、そんなものを飲んでたんですね。そしたらものの考え方もおかしくなってきましてね。それでいろいろ考えたんですね。昔、シュールレアリズム[13]という芸術運動がありましたね。そこにもパリは出てきたんだけど、パリというヨーロッパの一つの都、実際都から生み出せただろうかと考えるわけですね。

ヨーロッパ自体は、生み出す力が何もなかったと思うんですよ。たぶん今の日本はそうだと思うんですね。日本はこんなに繁栄していると思うんだけど、実際生み出す力はなくなって、今生み出す力があるというのは韓国であったり、アジアであったり、よその国から入って来たものが、日本という上等にソフィスティケートしていく土壌で上手に発酵されてこそあ

ヴ・ガンジー（インディラの暗殺後、首相に就任）のイタリア出身の妻、ソニア（現・インド国民会議党首）のことと推測される。

▼13 シュールレアリズム 直訳すれば「超現実主義」。狭義には、フランスの詩人アンドレ・ブルトンによる「シュルレアリスム宣言」（一九二四年）にはじまる、一連の芸術運動を指す。広義には、われわれが日常的に「これが現実だ」と認識している位相にとどまらず、無意識や夢、偶然に至る諸相をも作品にとりこんで表現しようとする思考や創作方法のこと。ブルトンのほかに文学でルイ・アラゴンやアントナン・アルトー、絵画でルネ・マグリットやア

るものとなっている。もともと日本にあるもの、東京にあるものがそんなふうになっていくことは絶対ありえない。そのことは、今流行っている浅田（彰）[14]君とかの基本的な原理だと思うんですね。その裏にそれがあると。

で、そういうことがその当時のパリでもあったと思うんですね。ブルトン[15]たちのシュールレアリズム運動っていうのは、基本的にあの連中から下りてきたんじゃなくて、何かにぶつかって、あるいは別のものを導入したことによってそれが出てきた。もちろんブルトンたちの動きの背後[16]には、例えばスペインの運動があったり、同時にそれ以前のランボーの時代には、ペルシャの文学がたくさん読まれたんですね。その中にこのあたりのものが残っていて、ということはシュールレアリズムは回教、イスラム教にぶつかったことによって起こってきた文化じゃないかということを考えたんです。そういうふうに見ますと、ランボーの見た眼でペシャワールを見るという、そういう視点ですね。あらゆるものがシュールレアリズムに見えると。つまりそれはアラブじゃなくてイスラム的なんですね。そのことに気づくと、もう一度ブルトンだとか、あの辺りを勉強し直さなくちゃならんというショックを受けたんです。

ンドレ・マッソン、映画では『アンダルシアの犬』のルイス・ブニュエルらが加わっている。

▼14　浅田彰　一九五七年生。経済学者、思想家。一九八三年、『構造と力』によってセンセーショナルにデビューした、八〇年代以降の日本を代表する思想家。「ニューアカ」ブームの旗手であり象徴的存在。ここで中上が念頭に置いているのは「スキゾ」、「パラノ」といった流行語を生み出した第二著作『逃走論』（八四年）のことと思われる。なお中上はその晩年近く、自ら主宰する熊野大学に、何度も浅田を招請している。

▼15　ブルトン、アンドレ　一八九二―一九六六。フラン

アフガン難民の息子

そういうことで、今日の「小説を阻害するもの」というのも、その話の延長上にあると思うんです。最初に考えたのは、みなさんに四回話しようと思っていろいろな方向からもの考えて、こういう話を最初にすればいいだろうと思って考えたんですけど。ペシャワールに一緒に行ってくれた人で、甲斐さんという人がいたんです。甲斐さんというのはアフガニスタンに非常に詳しくて、アフガニスタンで何年か暮らしていた人で、一家でアフガニスタンの家族とつき合っていたという、そういう人なんです。

ペルシャ語ができるのでほうぼうに入るとき便利だというので、それで一緒に行ってもらって、空港に甲斐さんの友達の親父さんが来てくれるはずだったんです。アフガン難民で、コハットという所に住んでいる人なんですけど、その人が空港にいなかったんです。パキスタンのイスラマバード▼17という所に着いたんですが。その代わりに、タクシーの運転手をやっているアフガン難民の息子が来てくれまして、十六くらいでちょうど口髭が

スの詩人・小説家。詩を発表しはじめた二十代前半からヴァレリー等の評価を受け、一九一九年頃からは自動筆記など、のちのシュルレアリスム運動へとつながる技法を模索。二四年に「シュルレアリスム宣言」を発表し、同運動の中心人物として活躍した。『ナジャ』、『通底器』などが代表作。

▼16 **ブルトンたちの動きの背後**　ブルトンがシュルレアリスム宣言を発表した一九二四年に先立つ二三年からスペインではリベラ将軍による独裁統治が行われ、それがのちに三六年からの内戦と、クロード・シモンらが参加する抵抗運動や義勇軍結成へとつながっていく。中上の文脈に従

生えてきたくらいの少年なんです。髭はみんな生やしてるんですね。なんで髭を生やしてるんだ、剃ったほうが黒くなって格好いいからと言うと、いや剃らないんだと、男で髭を生やしてないのは何だと思われると思う？　そう、オカマだと思われるんだ。なるほどオカマが何人かいたんだけど、そんな奴は髭を生やしてなかったよ。その少年が、アミンという名前だけど、ずっとついてくれて、アミンの言うことには父親はアフガン難民で家を十日くらい前に出たっきり連絡がないんだと、たぶんカブールで難民になる前タクシーの運転手をやっていたから、今パキスタンのトラックの運転手として雇われてほうぼう回っているんだろうと。たぶん連絡が何処（どこ）かに入って、甲斐さんという人が日本人の友達を連れてきたというなら喜び勇んで飛んで来るだろう。それまでのつなぎとして僕は親父の代わりをやりますとついていてくれたんです。

　僕は十八日間いて結局連絡がつかず非常に心配しているんだけど、アフガン難民というのはパスポートないわけでしょう。IDカードという身分証明書一つ▼18なんです、よれよれの身分証明書で。もし事故なんかが起こったりすると、悪い奴に殺されたとかなんかすると、IDカード取られてどこかに放り込まれると身元不明ですよ。そういう非常に危ない状態に晒さ

うなら、シュルレアリスムが「出てくる」背景にある運動は二四年以前でなくてはならず、一次大戦後のスペインでの労働運動ということになるが、どちらかといえばシュルレアリスムの伸長の背後にスペイン内戦等があった、と捉えるべきか。

▼17　**イスラマバード**　パキスタンの首都。イスラマバード国際空港がある。

▼18　**身分証明書一つ**　パキスタンは二〇〇六年十月に初めて、アフガニスタン難民への公的身分証明書を発行している。イランなどでは八〇年代から難民受けいれと身分証明書の発行が行われているというので、ここでの中上の発言は、それらの国や難民につ

れているんですね。連絡がとれないけど、たぶん一生懸命働いて、こう回っているんだろうということだったんです。それで僕と甲斐さんとアミンと三人で――アフガニスタン、パキスタンあたりの車は非常に装飾的なんですが、その車の作業場に取材に行ったんです。そこはアミンたちのトラックやタクシーの運ちゃんの溜まり場みたいな所だったんで、誰か知っている奴いるかもしれないから行ってくると言って行ったんです。するとアミンが、僕たちが取材している所へ追っかけて来て、にこにこしてやってきて、明日の十時にうちの親父はあそこに連絡をつけると言っていたと。誰がどんな方法で連絡つけるのかと言うんだけど、アミンは分からんと。それで日本人がここにいるんだから、もっとはっきり確かめてこい、小説家の僕も会いたいし、甲斐さんは友達だから親父にどうしても会いたいんだと、もう一度行かせたんです。そうすると翌日十時に電話がくるとそういう話だったんです。アミンはビジネスホテルで九時くらいからほんとにそわそわしだして、九時半くらいに行って、そして十一時頃くらいにがっくりして帰ってきたんですよ。連絡はなかったんです。

　お前どうするんだと、電話がかかってきたらどうするんだと言うと、いや分かんない、どうしたらいいか分かんないと、また行くと言うんですね。

いての知識が混同されたのか、あるいは別の証明書があったのか……。

それなら小説家も来ている、仕事もあるんだと伝言してもらったらどうだと言ったんです。それから彼は、今日は電話きていないかと、何回もそこに歩いて行ったんです。僕も途中で気づいていたんだけど、何も言わなかったんですが、これはこれでペシャワールの人間たちのやることだと。ディーンズホテルというのは昔の植民地時代のホテルだから電話はあるわけです。自分の部屋にも電話はあるわけです。日本だったらそんなに何度も行くのだったら、そこの電話番号を聞いてここから電話すれば聞くことできるわけでしょう。ある地点からある地点へ電話をかける。もう一つ、もし親父から電話がきたらディーンズホテルに直接電話してくれと番号を教えることができる。アミンという少年はどちらも思いつかないんですね。それでいつもみんなが集まるその場所に、少年は日課みたいに出かけて行ってがっくりして帰ってくるんです。途中からこっちの電話番号を教えるように言ったんだけど、そう言っているはしからふっと気づいたんです。これは今の現代小説の問題なんじゃないかということに気づいたんです。

絵を描きましたが分かりますか。ディーンズホテルという、これは僕らが泊まった英国時代の有名なホテルなんですけど、ホテルといっても崩れていきそうな植民地時代の、かつて栄華があったというだけのホテルで、考えてみますと、われわれが住んでいる世界というのはこういう世界だと思うんです。ペシャワールからカラチまでは二日二晩かかる、そういう距離です。われわれでしたら、アミンという少年と同じ行動をとるんでなしに、現代小説の主人公というのは、アミンと同じ行動をとるのではなくて、カラチにいる父親から直接ディーンズホテルに電話かけるということをやってると思うんですね。あるいはあの工場しか知らなかったら、工場からこのディーンズホテルに電話をかける。小説の世界は何なのかというと、僕はアミンのたどった道が、つまりわれわれ小説家が、小説が発生した時から書いてきた道だと思うんです。

これは考えていただけば分かるんだけど、これを小説に書くとしますね。例えば電話がかかってきたと、あるいは電話がかかってこなかったと。アミンがホテルでずっと待っている、そういう状況を書いたとしますね。それはさして面白くないんですね。それは心理です。▼19 それがアミンという少年が、毎朝十時に電話があるかもと九時くらいからそわそわしてここまで行って、かかってこないで、そしてガクッとして帰ってくる。そうするとこれだけで短篇小説優に一篇はできるわけです。このことが、小説という

▼19 それは心理です　移動のない状況を小説で描こうとすると心理劇になってしまう、ということでの中上の観察は、ただしく九〇年代以降の——つまり電話のみならずインターネットが普及した時代の小説、ひいてはかつて小説が担っていた告白劇を代行しつつある、情報と内的独白に多くを占められている日記ブログの一側面を予告している。と同時に、そのなかで相対的に物語性や移動性を持った『電車男』などのブレイクも予見されていた、とまでは言い過ぎであろうが、講演と同時期の『日輪の翼』や晩年の『異族』、『讃歌』などにみられる物理的移動の必要性への意識は、ここでも窺うことができ

のはどういう時代をもともとのベースにして考えられたか、発想されたのかということがよく現れるところだと思います。小説の場合は、ニューメディアというか、電話という様々なメッセージを互いに発しあう、声によって送るというのと、声によって受けるというのと二方向にこうやっていく形ですよね。

ところが実際に会えば、いろんなメッセージ送ってるという状態なんです。そうすると小説というものが、どんな時代に発想されていたか、作られていたか、この電話のことだけでもはっきりしている。一つ皆さんに考えてもらいたいのは、これは小説を阻害する一つの形だと思うんです。急に難しくなるんだけど、大きく言えば、僕らがしょっちゅう使っている言葉でいえば「交通」ですね。「交通」みたいなものが、ある新基軸に変わってしまった時代があるんです。例えば産業革命以降の発達によって、電話や、あるいはトランスポーテーションといえば、馬車の代わり、歩いていく代わりに電車や汽車や車を使う、人と人との単にコミュニケーションというだけでなしに、もっと深く人と人が織り成すものが大きな変化を被る、そういう時代が今の時代だと思うんです。

アミンが一生懸命動いていく、毎日毎日父親からの電話を受けるために、

る。

わざわざホテルから歩いて、運ちゃんたちがたむろする事務所まで歩いていくということの中に、われわれがどのくらい小説を書くことの困難な時代に生きているか、あるいは小説という形がもう用をなさないような時代にきているんじゃないかという、そういうことを考えさせる要素をいつも孕んでいると思います。

『夕暮まで』における車の機能

例えばアミンがたどった道を書くことが、逆に言えば小説を良く書くということになるということを、ヒントとして皆さん方に言いたいですね。この少年が父親に会えないと、二人ともアフガン難民ですよね、非常に不安がある。友達が来ているのに会わない父親に対して、何をやってるんだろうというちょっと苛立ちもある。今ペシャワールは日中四十度くらいあって、しようがなく暑いんです。その所を歩いていく、歩いていく道すがら、あそこはその道の草が全部大麻なんです、マリファナなんです。その道をずっと歩いて行くんですよね、何処までも。すると当然様々なものを見るでしょうし、出くわすでしょうし、小説を書くとしていい劇が展開することになる。もう一つ小説に風通しを良くする風景が、登場人物の肉体が、足が動くたびに汗が吹き出る、あるいは町特有の匂いがする、いろんなものが出てくる。

普通なら電話一本使ったことによって、われわれは簡単に苦労しなくてすむような所っていうのは、小説は生まれない。そんなこと気にしない状態で、電話なんて相手にしない、自分が直(じか)にその場所へ行くことによって、小説が本来与えてくれるいろんな起伏や、あるいはカタルシスみたいなものができる。あるいは描写された文章がきらきら光る、そういうものが出てくる。さらに少年が歩くことによって、電話という密室に閉じ込められたものが、アミンの行動を書くことによって、社会全体みたいなものがその後ろに書ける、そういうことがあると思うんです。

こういう形を典型的に描いているのが、今日ここに持っている、フォークナー[20]の小説なんですね。フォークナーの小説の世界というのは、小説が十八世紀のヨーロッパのブルジョア社会で発生して、十九世紀に飛び火して展開して、さらにドストエフスキー[21]の後には、大きな作家といえばジョイス[22]なんかが来るでしょう、その後を受けてアメリカでフォークナーとい

▼20 フォークナー、ウィリアム　一八九七―一九六二。アメリカの小説家・詩人。故郷（ミシシッピ州ニュー・オールバニ）をモデルとする架空の地方、ヨクナパトーファを舞台とした『サートリス』、『響きと怒り』、『八月の光』、『アブサロム、アブサロム！』などの作品を中心に、土着的な風土とそこで暮らす人々を描いた。中上健次とフォークナー作品の関係は、中上の生前から没後の今日まで、本人もふくめた無数の書き手によって語られており、なかでも『アブサロム、アブサロム！』は「『枯木灘』の浜村龍造への神話性の付与と、『路地』世界の仮構に、多大なヒントを与えた」（髙澤秀次『中上

う非常に大きな作家がいるんですね。フォークナーの世界というのは、結局アミンのたどった道なんです。これは今われわれが読んでいるような、小説と錯覚しているような、例えば三田（誠広）[23]君の小説でもないし、古井（由吉）[24]さんの小説でもないんです。つまりこれは小説が死滅していると気づかないで、小説まがいを書いているというのが問題なんです。本当に小説を生き生きと書こうと思うと、まずアミンのような剝き出しの行動に行き着かなくてはいけない。

　フォークナーの小説に『八月の光』[25]というのがあるんですね。これは冒頭で、リーナという孕んでいる女が、ずーっと歩いてるんです。これはフォークナーが歩いている場所を見たから書いたのであって、これは小説そのものが、リーナに歩くことを要求しているわけなんですね。アミンのように無垢な状態で、十六歳で髭も生えてない状態で、ただ本心のままそこに一歩でもたどり着きたいという、それが小説本来の欲求なんですよ。だからたぶんフォークナーには、歩くということは身近だったと思うんですよ。それをしょっちゅう見ているだろうし、黒人がうろうろしているだろうし。われわれは今だってロサンゼルスに行けば、メキシコ人なんか車を持てないからトコトコ歩いている、草履みたいなものでね。そういう世界

健次辞典』）と言われている。

▼21　ドストエフスキー、フョードル　一八二一―八一。ロシアの小説家。帝政ロシアの軍事技術者だったが、一八四六年に『貧しき人々』を発表して小説家となる。空想社会主義者として死刑宣告を受けるも執行直前に減刑されシベリアでの強制労働に従事。その経験が『死の家の記録』、『白痴』などの作品を生んだ。代表作に『罪と罰』、『カラマーゾフの兄弟』など。

▼22　ジョイス、ジェイムズ　一八八二―一九四一。アイルランドの小説家。フローベールやイプセンらの影響を受け、『ユリシーズ』、『フィネガンズ・ウェイク』といった大作を残した。なかでも『フィネ

をフォークナーは具体的に見ていただろうと思うけど、それを書くということは、見たから書いた、そこにあるから書いたというんじゃなくて、小説本来の欲求であった。それ故にフォークナーの小説は、後々日本の大天才といわれる中上健次に（笑）深く影響を与える。やっぱりフォークナーはすごい作品を残し得たと思うんですね。

こういうことを踏まえて『八月の光』を読んでみていただきたいんです。本当に冒頭からリーナは歩き始めるんです。もう一つ言いますと、基本的にトランスポーテーションというのは歩くということ、トランスポーテーションとコミュニケーションがくっついたような状態のことを、僕は今アミンのことについて喋ってるんだけど、これを車という状態を考えてみるとですね、われわれ車をどんなふうに捉えているだろうか。そのことで今日は、吉行淳之介[▼26]さんの『夕暮まで』[▼27]というのと、中上健次さんの（笑）『地の果て 至上の時』[▼28]を、つまり車をどんなふうに使っているだろうということで、典型的な例を出そうと思って持ってきました。

車というのは、古い昔からあった、トランスポーテーションの原初みたいな状態としてですね。ただ歩くだけではしんどいから、馬に引かすとか、牛に引かせるとか、駱駝（らくだ）に引かすとか、いろいろな形がある。それの変化

ガンズ～』は、時間と空間、さらにはそれを表象する言語たちが、それぞれ多層的な性格をそなえた作品で、二十世紀最大の前衛作品のひとつとして評価が高い。

▼23 三田誠広　一九四六年生。小説家。一九七七年、早稲田大学での学生運動に参加した体験を描いた『僕って何』で芥川賞を受賞。橋本治によると、この作品は自分が一般学生であるという自覚のない「一般学生」による全共闘小説の典型。一時期、中上健次らとともに雑誌「早稲田文学」の編集委員や新人賞選考委員を務める。

▼24 古井由吉　一九三七―二〇二〇。小説家、翻訳者。一九七一年、「杳子」で芥川

したものが車でしょうけど、その変化というのは、同時に今の自動車みたいな形になるには、蒸気機関車の発明だとか産業革命というか、あの時期をたどらないと、車というものにはならないんです。ということは、車というのはもともとあんな形していたんじゃなくて、産業革命の時代からころっとひっくり返った産物なんだろう。四つの輪っかで走る。日本では転倒した後から、さらに改良を加えてトヨタだとか日産だとか、スズキだとか、三菱だとかいろいろの会社が機種に改良を加えてモダンな形になったんですけどね。

これがペシャワールの町に入っていくとどんなふうになるか。今日も本当はスライドあったら見せたいんですが、車は無茶苦茶飾りつけているんですよ。パキスタンに入った途端に見えるんです。インドではあまりないです。パキスタンに入ったとたんに車という車が、全部ギンギラになってるんです。例えばバスにはスーパーダイナミックディスコとか、何でバスにそんなこと書いてあるのか知らないけど、デコラティブな文字があってね、全部花模様、鳥があったり。装飾の一番すごいのがトラックなんです。トラックはあらゆる絵を書いています。日本のトラック野郎もああいうことするんだけど、ちょっと違うんですね。無茶苦茶に飾っているわけ。そ

賞を受賞。阿部昭・後藤明生などとともに「内向の世代」を代表する作家。圧倒的な筆力を維持しつつ晩年に至るまで、狂気と情欲を薄紙一枚の水面下に隠した静謐な文体で、日本文学の極北でありつづけた。他の主著に『槿』、『仮往生伝試文』、『やすらい花』など。

▼25 『八月の光』 ヨクナパトーファを舞台にフォークナーが描いた作品群のひとつ。クリスマスという名の混血児が引き起こす殺人事件を軸に、アメリカ南部社会の閉鎖性を背景とする、人間の孤立と疎外を扱った物語。

▼26 吉行淳之介 一九二四―一九四。小説家、エッセイスト。遠藤周作、安岡章太郎ら

れ見てると、日光の東照宮▼29みたいな飾りなんです。タンクローリー車ってあるでしょう、けつは平べったくて、必ず全部絵が描いてあるんです。描いてあるのは、憧れなんでしょうね、オアシスが描いてある。緑があって、きれいな家がいっぱいあって、そんなもの何処探してもありゃしないってやつをね。さらに最近の絵は、カッコいい高速道路が描いてあって、そこに自分とそっくり同じトラックが通っている。われわれが今車というのは、カッコいいデザインで、ミケランジェロ▼30がデザインした車だとか。だけどアフガニスタン、パキスタンの車から比べれば非常にシンプルですよ。何の飾りもない。それの基本にあるのは、機械だけの転倒の産物みたいなもので、機械だけのレベルで発達していったという車だと思うんですね。

　ところがアフガニスタン、パキスタンで見るトラックだとか、ミゼット▼31って昔ありましたね、あれがギンギラになっている。あれはリキシャと呼ぶんですよ、日本から来ているんですよ。力車、それがディーンズホテルから、アミンが行ったオフィスくらいまでだったら五ルピーくらい、五ルピーというと百円か百二十円くらい。それが町中を水スマシのように走っていて、本当にあれでぶつからないなというくらいな上手な走り方なんですね。

とともに「第三の新人」と呼ばれた。洒脱な作風で一定の評価を受ける。作家吉行エイスケの子。

▼27『夕暮まで』　妻子ある中年・佐々と、処女を守り抜く杉子の逢瀬を描いた作品。社会現象となった「夕暮れ族」の語源である。伊丹十三・桃井かおり主演で映画化もされている（黒木和雄監督）。

▼28『地の果て 至上の時』　『岬』、『枯木灘』につづく、「秋幸サーガ」とも呼ばれる三部作の完結篇。『枯木灘』で腹違いの弟を殺した秋幸が、服役を終えて路地へと戻る場面から物語は始まり、以降、路地の解体と、秋幸による父＝龍造殺しの失敗とが描かれ

考えてみると、車という彼らの考え方は全然違うんだろうと思うんです。直感的に見れば、日光の東照宮なんかとよく似ている。つまり車は異界の産物なんですよ。葬式のときに飾り立てるとか、そういうある異界の産物で――こんなこと考えたんです。昔の人は、アフガニスタンとか、そういう所では、砂漠があったらオアシスがあって、繋ぐ道があって、馬車が走っていたりする。今われわれが車というと、あらゆる所を動いている、基本的にはある所からある所へのトランスファーというのが、あの連中の車だった。つまりある地点からある地点は異界を通るから、そんなふうな意識で車は考えられていた。だから車に乗った途端に、普通の日常の人間が異界の人間になっちゃうんじゃないか、だから運ちゃんなんかもギンギンになって自分の絵を、自分の車を一番良く書いてもらおうと思って、やっぱり探して行くんです。いい絵を描くために行くんです。そういうことを考えるんです。

そうすると、こういう考え方のほうが、小説の原型みたいに、小説の中で使う車に近いんじゃないか。われわれ読むときも、書くときも、車というものを産業革命の時代に基点を置いて、ここで転倒した、あんなふうな車として読んでいくんじゃなくて、むしろ異界から異界を、ある地点から

る。中上作品のなかでも、『枯木灘』や『奇蹟』とならぶ代表作。

▼29 東照宮　徳川家康を祀る社。その設計には陰陽道の影響があるとされ、施された霊獣の彫刻には、天界と冥界を往還できるという龍や、天帝が空を飛ぶときに乗る龍馬などがある。

▼30 ミケランジェロ、ブオナローティ　一四七五―一五六四。イタリアの建築家・彫刻家・画家。バチカン礼拝堂の天井フレスコ画やサン・ピエトロ大聖堂の設計のほか、『ダビデ像』などの彫刻でも知られる。レオナルド・ダ・ヴィンチ、ラファエロとならぶルネサンス期の巨匠。「ミケランジェロがデザインした

ある地点をトランスファーする。つまり異界を飛ぶ、空飛ぶ絨毯みたいなものだと、それが変化したようなものが車なんだと。そう考えたほうが、われわれの小説の中で考えるときも、応用が利くんじゃないかということ。そういうことで、吉行淳之介さんの小説、（受講者に）ちょっと読んで下さい。

　コンクリートの太い柱が並木のように左右に並んでいるところを、車は走っている。以前、杉子を乗せて走った高速道路の真下にできている道なのだ。

　貨物船のための港が、この近くにあるのを佐々はおもい出した。その埠頭に出れば、たくさんの燈火で夜は明るく、白く光る波頭が海面を蔽っているだろう。その景色の前に出れば、この危険な曖昧さは心から消えてゆくだろう。

　左へ曲って、高速の真下の道路から逸れた。すぐに突き当った道を右に曲り、また左へ曲る。街路燈が並んでいて、すべての道の幅は広いのだが、人通りはますます寡（すくな）く、ついには車も人間も、消え去った。

（『夕暮まで』）

車」という中上発言は、一九六二年に公開され、八二年にテレビ放映が行われた映画『黒の試走車』（増村保造監督）の作中設定が意識されているものと推測される。ちなみに、フェラーリはじめイタリアの自動車デザインを手がける工房（カロッツェリア）のひとつピニンファリーナでは、車のデザインを「ミケランジェロの大理石彫刻とおなじ、削り出しの技法」と語られるため、中上の発言もあながちまちがいではない。

▼31　ミゼット　一九五六年にダイハツの発売した軽三輪乗用車。小回りの効くことや燃費のよさ、さらに当時存在した軽自動車免許（十六歳以上で取得可能）などから、爆

つまり吉行淳之介の場合に、車というのがさっきの異界から異界へ、ある地点からある地点に行く異界の産物みたいなものだということは言えると思うんです。つまり車が右に行ったり左に行ったり、それを描写する。誰もそんな道のことをどう行こうといいんですよ。それをわざとそう言っている。つまり車というのは、宙に吊された場所としてあるんですよ。車というのは、同時に場所であると。それこそ空飛ぶ絨毯のように浮いているんです。宙に吊るされたゆえに、能(あた)う限りニュートラルなんです。その方向ってのは、異界に行ってるんだから、時間も空間も無関係なんです。無関係なゆえに、右に行ったり左に行ったりと言わなくちゃしようがないから言ってるんです。この宙に吊された場所というのは、つまり吉行淳之介の場合は、非常に上手に『夕暮まで』の最後の章でうまく使っていると思うんですね。宙に吊された場所であるゆえに、この車というのがあらゆる場所に侵入していけるということなんですよね。ある所に脈絡なしにぽんと飛んでいける。

普通、小説で書いていると、偶然性とかそんなものは書こうと思うとものすごく難しいんです。ところがこういう偶然性を導入できるという状態

発的な人気を得た。

がいくつかありましてね、こういう宙に吊るされた場所、車みたいなものを使うと、右に行くと何々がある、左に行くと何々がある、ということは左に行けば突然それが出てくる、という形で車というのは使うことができるんです。だから基本的にわれわれが今考えている、この路上を走っているから自由なんだという、ある地点からある地点へトランファーするんだと、これが宙に吊るされてニュートラルである、だからある場所性を問われなくて、宙吊りされニュートラルであるということで、現実の場所ではない別の場所[▼32]を設定できるんだと。

宙に吊された場所自体がじゃあ何なのかというと、これは非常に大きな神聖な空間、例えばギリシャ悲劇なんかである劇場があるでしょう。円形の劇場があって、こういう階段がずっと取り巻いている。取り巻いているというのは、神が高みから見ているんだという、この円形の場所が逆に今の現実からこう向いている。こういう場所というのは、神聖な空間みたいな、いくつか小説の中に登場するんです。いい小説の場合だったらいくつかこういう場所が登場するんですね。これは昔からある聖なる空洞というかな、例えば『竹取物語』[▼33]の中で、竹の中にかぐや姫がいるようなああいう空洞ですよ。あるいは『宇津保物語』[▼34]の木の祠（ほこら）、そういう空洞です。こ

▼32 現実の場所ではない別の場所　『枯木灘』の冒頭近くには「道を右に折れ、支流に沿って入った～」という描写があり、現実の国道百六十八号と川との位置関係からしばしば渡部直己らにより方角が逆であると指摘されるが、この部分を読むと、それが記述違いなどでなく意図的な錯誤なのだとも考えられる。

▼33 『竹取物語』　平安時代に作られた、日本最古の物語文学。作者不詳。竹から生まれ翁に育てられたかぐや姫が、五人の貴公子の求婚に無理難題を与え、満月の夜に月へ帰って行くが、その冒頭はご存じのとおり、光る竹を翁が輪切りにすると、そのなかに幼子が収められている、という

れがあるものを宙吊りにして、あるものを未熟な状態でもそれを許してしまうような神聖な空間。それはギリシャ悲劇のある場所の空間にも繋がるし、車の宙吊りしたニュートラルな場所というのにも繋がると思うんですね。こういうことが、吉行淳之介の小説の中において行われている。こういう目でいっぺん吉行淳之介の『夕暮まで』を読んでみていただきたいんです。僕もそういう眼で読んで、この『夕暮まで』という小説が非常に面白い、読めば相当意味が深読みできる、そういう形になって出来上がっていることが分かるんです。

聖なる場所／ポリフォニックな空間

この宙吊りにされた空間、場所というのは、かつて五年くらい前に流行ったロシア形式主義[35]なんかで喋っているポリフォニー[36]理論とかを使えば、ギリシャ悲劇と一緒だけど、コーラスとソロというか、コロスと主人公たちという形の、声が一方向じゃなくてある別な方向がぶつかり、違うものがぶつかり、それがさらに融合したり分離したり、ポリフォニックなこと

場面である。

▼34　『宇津保物語』　平安時代に成立した物語作品。中上はそれを「物語の祖」とすら呼び、現代語への翻案を試みている（全集十二巻、未刊小説集に収録）。中上にとって「うつほ」は空洞を意味し、「かぐや姫の竹の筒も『うつほ』なら、『枯木灘』の秋幸の『がらんどうの体』に蟬の声が響き、草や木や土と共鳴するのも、『うつほ』を抱えた主人公の特徴的表現にほかならない」（前掲『中上健次辞典』）。

▼35　ロシア形式主義　「ロシア・フォルマリズム」とも呼ばれる、文学上の表現技法／思想のひとつ。二十世紀初頭にシクロフスキーやヤコブ

を許してくれる場所である。それが車という中に使われている。そうすると、われわれはこういうことも踏まえないと、今は小説の時代じゃないから、小説を阻害するもの、小説を潰すような新機種に流れていくと思うんです。トヨタとか日産だとかそんなものは、小説の敵だと言いたいんです。それをその意識のまま書いていると、小説に使っちゃうと、それは小説にならなくなるということなんです。

　あるいはこの理論で考えてみますと、例えば喫茶店である人物とある人物が話をしている。これは書けるかというと、この喫茶店は書けないんです。なぜ喫茶店は小説に登場することができないか。喫茶店だとか、カフェバーだとか、スナックだとかを登場させる小説はろくな小説じゃないですね。もし、新人賞でも応募しようと思うんでしたら、これはやめたほうがいい。それは小説にならんのですよ、どんなふうにしても。それは一種の場所みたいに思うかもしれないけど、これは宙吊りされた空間だとか、ギリシャ悲劇の空間だとか、最初の原初の聖なる空間だとか、それとよく似た場所じゃないかと、喫茶店はね。カフェバーで皆集まって、たとえば中沢新一[▼37]と林真理子[▼38]がぺちゃくちゃ喋っていたと、僕も入って喋って面白かったと、こんな小説を書いたとする。これが何でつまらないかというと、

ソンらによって提唱された。言語はその意味内容にとどまらず、詩的機能や異化作用ほか、ときにその意味に反する性質をも併せ持つとする、形式重視の思考。一九二〇年代以降、マルクス主義批評との齟齬から批判を受けたが、のちにバフチンらによって再評価されるとともに、構造主義的思考の礎ともなったとされる。

▼36　ポリフォニー　ミハイル・バフチンが「ドストエフスキー論」で主題とした、小説の対話的構造のこと。バフチンは小説のことばを「対話原理」、「モノローグ原理」にわけ、その前者からなる作品を「ポリフォニー的な小説」とした。一人称（または三人

その場所というのが、もともと商売のために作られているからですよ。場所というのは、自然発生的に出てこないとだめなんです。商売の意図のもとに作られた場所、その場所を提供することによって金を貰っているんだから連中は。だからここは場所を提供するためにできている。ここで起こったことは、エンターテインメント以外には書きようがないんです。これは小説にならない場所なんです。

これがもしアミンの毎日尋ねていったオフィス、といっても何にもないんです。電話一本あって、お茶の道具があって、ハンモックみたいなのがあって、ハエがわーっと飛んでいて、一ケ月も二ケ月も風呂に入ってないような顔した奴がうろうろしていて、服は一年くらい洗っていないような感じで、たぶんアミンが来たらその悲しみも分かってなだめているような、そういう場所なんです。それが本来の場所なんです。もし書き得るとしたら、それは人工的に意図的にされたものというのは、基本的にその人間の手の内が見えちゃっているから書けない。小説にならない場所なんです。

もう一つ、場所というのは、風景というものと密接に結びついている。場所は風景と相反するものではない。われわれ場所を設定すると、だいたいある囲い込んだ場所、風景を囲い込んでしまうんです。本当は風景とは

称）一元小説のように、単独の語り手のことばによって作品が進行するのではなく、複数の語り手の声や意識、テキストを構築する諸要素、さらにはその外部にあるテキストや世界まで、無数のものと共鳴することでたちあがる作品とその構造を指す。

▼37 中沢新一　一九五〇年生。宗教学者、思想家。一九八四年にポスト構造主義とチベット密教を融合させた『チベットのモーツアルト』で一躍脚光を浴び、この連続講演の行われた当時、まさに売出し中だった「ニューアカ」文化人のひとり。オウム・サリン事件に絡んで批判の矢面に立たされたりするも、二〇〇〇年代に入って『緑の資本

相反する場所、むしろ風景の中に出来上がったのが場所であると、そう考えたほうがいいと思うんです。もう一つ場所が見つけやすい状態の所、食う所や寝る所、排泄する所だとか風呂に入る所だとか、原初で無理なくできるところが一番場所として落ち着きやすいです。

こういうところを目星つけるのが、目星つければ何かできるだろうと単純に狙ってやるのが、テレビドラマのシナリオライターたちですね。これは非常に下等な生物です（笑）。いつもだいたい話がほうぼうに散っていくでしょう、するとまとめるのにもの食わすんですね。しょっちゅう、もの食わしてるでしょう。卓袱台とか喫茶店とか、お茶飲ませたりして。人と人が会話する時に、そういう場所を利用しようとするんです、飲む食うという。茶の間で飯食いながら会話するとか。本当は場所というのは、会話するために全然違う動きをする奴がいるんです。山口昌男▼39さんなんかに言わすと、これはトリックスターなんかに繋がっていくんだけど、全然違う動きする奴もいなくちゃだめなんですよ。それは当然本来の場所だったら、どっかに備わっているわけですね。それは単に人間としてのトリックスターだけじゃなしに、犬であったり、猫であったり、何でもいいんですよ。全然違う動きをするもの、そういうポリフォニックな空間が場所なん

論』や『アースダイバー』などで華麗な復活を遂げる。

▼38 林真理子　一九五四年生。小説家、日本大学理事長。一九八三年にエッセイ集『ルンルンを買っておうちに帰ろう』がベストセラーとなり、『花より結婚きびダンゴ』で結婚ブームをつくりだすなど、八四年当時はオシャレな新人類の代表だった（らしい）。八六年『最終便に間に合えば』、『京都まで』で直木賞、九五年『白蓮れんれん』で柴田錬三郎賞受賞。

▼39 山口昌男　一九三一―二〇一三。文化人類学者。「中心と周縁（＝異質なものの周縁部分への侵入が、安定した中心を再活性化するという思考。ひいては、中心を想

だということに気づいてほしいんです。

パキスタンの作家が出てくると書くと思うんだけど。そういう場所というのは、ポリフォニックになってる、様々なものが錯綜する所だと踏まえて、今日はアミンの話で終わろうと思います。歌を聞いてください。（民族音楽が流れる）

これも（言葉が）分かれば面白いんだろうけどね。これがあのあたり一帯にある歌物語というやつですよ。これ聴いた時に、ほうぼうでいろんなテープ聴いてきたんだけど、日本で河内音頭▼40ってあるでしょう。それなんかのルーツなんじゃないかと思いましてね。シルクロードのあたりに残っている。河内音頭から朝鮮半島のパンソリ▼41に繋がると思うんです。パンソリからは中国の方に繋がり、イランにもこんな音楽あるんです。さらにこの音楽は、ジプシー▼42のフラメンコ▼43の歌にものすごく似ているんです。ジプシーはインドのあたりに発祥地があって、パキスタンの中にもジプシーは存在するんですけど、そういうこと考えるとつまり河内音頭も、シルクロードからずーっとたどってきた道――決して日本なんかでは伝統的な音楽とか、上物扱いされない下位に抑圧された音楽とか聴いていると非常に面

像的に創造するために、周縁が先んじて規定されるのだという逆転の発想）」や「トリック・スター（＝共同体の内部にありながら外部性を保持し、規範や文化の破壊者であると同時に創造者であるような存在）」などで知られる。それらキャッチーな名付けの理論により一九六〇年代末から七〇年代にかけ「歴史学・神話学、さらには演劇・文学・映画・音楽等の異分野にまたがる自在で横断的な想像力を武器にして、新たな人類学をたった一人で創造しようとしていた」（今福龍太「風刺画家としての山口昌男」）。

▼40　**河内音頭**　河内地方の民謡。江戸中期に起源を持ち、明治以降、詞も節も自由に変

白いなと。
アフガニスタンに、やはりこんな歌物語を歌う人に、サラ・ハーンという天才的な歌手がいるんですね。サラ・ハーンはアフガニスタンの中でもすごい人気で、一時期は、アフガニスタンにまだ国王がいたときに、国王より人気があったという人で、そのテープを手に入れられなかったんだけど、サラ・ハーンが歌った「邪悪の町」という歌があるんです。どんなのか言うと、カブールの市街の中に、ほんとに麻薬と売春と暴力と、あらゆるものがぐちゃぐちゃになっている、スラム街よりもっとひどい場所があるんです。それを邪悪の町と別な名前で呼んでいるんです。そこには誰も外人は入ったことがないという、子供が裸足で飛び回っていて、犬の糞か人間の糞かなんか分からないのがころがっていて無茶苦茶になっている。そこにはあらゆるものが売られているし、あらゆる悪の巣窟がある。サラ・ハーンというのは、その邪悪の町の出身なんですね。その歌の文句で、知らないんだけど、話に聞いただけなんですが、「俺は邪悪の町で生まれた。世界中で一等ひどい邪悪のものが集まって、皆がまゆをひそめるけど、俺はそこが一番好きで好きでしようがない。それこそ本当に俺の心の町なんだ」と。

化する音頭に変じ、さらに工夫を加えられて今日に至る。一九六〇年代に鉄砲光三郎「民謡鉄砲節 河内音頭」によって浪花節のリズムがとりいれられ、九〇年代には河内家菊水丸が浴衣姿でエレキギターやキーボードを駆使するなど、きわめて自由度の高い口説（くどき）形式の盆踊り歌。

▼41 パンソリ 十八世紀、朝鮮王朝後期に生じた、韓国の民俗芸能。一名の「暢（歌い手）」が、一名の「固守（伴奏者）」の太鼓にあわせて歌い語る。都市の商業化に伴い出現した富裕層が、伝統的な型にはまらない芸能を求めたことに起源を持つ。

▼42 ジプシー 十世紀末ごろにインド北部のパンジャブ

それを聞いて、鳥肌立つほど感動して、今度行くときはその邪悪の町に入ってみようと思った。そういうものこそが本当であって、今のこの日本の中でやられているものというのは、偽善というか、そういうものはやっぱりちょろいんです。場所そのものが宙吊りされた空間、邪悪の町っていうそのものが、原初の聖なる空間に共通するかもしれないですね。その話を聞いて、音楽というのはそういう所からしか生まれてこないんだなと、改めて認識した次第なんです。これで終わりますけど、質問ありませんか。

質疑応答

Q：アミンという人の行動なんですけど、これは病だと言ってしまえば一つの病だと思うんですね。

A：こういうことだよ。われわれにおいてはそういう行動とると病だよ。アフガンとかパキスタンの状態では病じゃない、自然なあれだよ。

地方から出発し、地中海沿岸を経てヨーロッパに至った民族。十六世紀ごろから迫害と追放により、あるいは同化政策への反発からアフリカ大陸や南米、北米へと移動した。第二次大戦中にはナチスによってユダヤ人と同様の被害を被ったほか、一九九〇年代にはコソボ紛争に伴って迫害を受け、現在でも難民化している者が少なくない。そのような状況を受け、また「ジプシー」の呼び名を放浪や窃盗と結びつける言説が多かったため、現在では「ロマ」が用いられるようになっている。

▼43　フラメンコ　スペイン、アンダルシア地方の民族舞踊。スペインの伝統的音楽に、ジプシーやアラブ系のそれが加

Q：日本の状態だとしたら、一つの病だととられる。

A：そうそう。ところが小説というのは、今の時代を充分書ききるという、そういう問題じゃなくて、小説が爛熟したのは十九世紀にあると認識したとして、その方法、あのトランスポーテーションの仕方が一番小説に向いている、そういうことなんです。もしわれわれがこの時代を捉えようとするなら、何か別な方法を考えなくちゃいけないということです。小説においては、そういうことを踏まえて、病だということを分かりながら書かないと、つまらない小説になっちゃうということです。ところが日本では、小説もほとんど念力で書けばいいやという、私小説なんかそうですよ。そんなもんだから、あまりカルチャーセンターみたいな所で、こういうこと普通言わないんだよ。小説家はそういうこと企業秘密にしていたんだね。本当は企業秘密でも何でもないし、アメリカなら創作学科でしょっちゅうやっていることなんだよ。日本ではそういうのはなくて、日本では大学に創作学科とかあっても、教師が悪いとか（笑）……。普通オープンにしていいスキルというか、技術みたいなものがオープンにされてないんですよ。他に何かありますか。

わって、歌と踊りとギターの三要素を必須とする現在のかたちができあがった。独特の音階と固有のリズムを保ちつつ、自由なかたちの踊りをとりいれられることが特徴。

Q：今の話で、パキスタンに行っていらしたということですが、やはり行かれた理由というのは、剝き出しの行動とかそういうことをおっしゃっていましたが、そういうものを見に行かれたのですか？

A：それはそうなんだけどね、単純に言うと河出書房の書き下ろし▼44の取材と称して行ったんですよ。ずっと僕の小説の書き方の延長上にある――今日は喋らなかったけど、物を定住の側から見るんじゃなくて漂泊の側から見る。あるいはそれをもう少し違う形で言えば、遊牧的にものを見る。そういうことの延長上であそこに行ったんですね。たまたまそこを僕はテレビの取材で通りかかって面白そうな町だと、行くならいっそあそこに行きたいと。次の書き下ろしで、遊牧的に物を見るってことは、やっぱり全面的にそれに挑戦してみようということで、それで遊牧民とか国境なんか全部無視した連中が住んでいる所へとね。

Q：そうすると先生ご自身が、場合によるとトリックスターの感じで。

▼44　河出書房の書き下ろしただし、作品は刊行されていない。パキスタン取材は直接には、『スパニッシュ・キャラバンを捜して』（一九八六年、新潮社）に収録の紀行エッセイに結実している。

Ａ：そうですね。ただしあの程度の滞在ではトリックスターにはなれない。トリックスターということを考えれば、ある一定の役割をもつほどの器量を持っていないと。僕はペルシャ語もできないし、せいぜい英語を片言程度話すくらいで、そうするとまだまだ中に入っていけないね。だからそこに住んで、ある程度片言程度でもパシュトゥーン語やペルシャ語を喋れると、トリックスターということが起こったりするかもしれない。僕はあそこに行って、本当に今日喋ったことや、あらゆる角度で今の日本の文学の閉塞状況、つまり人があまり閉塞と考えてない閉塞状況、僕は人より敏感に感じてしまう性質なんで、そういう閉塞状況を破ってくれるのはこんなことだったのかと、そういうことを考えさせてくれるヒントがいっぱいあったんです。

（一九八四年五月十四日、東京堂書店神田本店六階文化サロン）

第二回　主人公について

「写真」・「映画」・「小説」

一回目のタイトルが「小説を阻害するもの」、小説を壊していくものということで喋ったんです。その例として、電話と車、二つの現代生活に欠かせないものを持ち出して、それを小説の中でそのまま使ってしまうと、だいたい小説なんて痩せてしまうと。何の疑いもなしに使ってしまうと、痩せてしまうものであるんだと、本来はこんな形になっていると、原型みたいなものを遡って話したんですけどね。

▼1　ロブ＝グリエ、アラン　一九二二―二〇〇八。フランスの小説家。クロード・シモン、ミシェル・ビュトールらとならぶ、一九五〇年代フランスの「新しい小説（ヌーヴォー・ロマン）」の旗手。数学的な描写とモノローグの排除、さらに反復や書き換えの多用などにより、十九世紀的な小説が持つ「物語」の影響を作品から遠ざけることで、

そういうことから、二回目は主人公について話したいと思います。主人公というのはどうしても小説である限り要ってしまう。たとえばロブ＝グリエ[▼1]の小説でも、あんなふうなアンチ・ロマン[▼2]の小説でも主人公というのはあるんです。たとえあなたと語りかけても、[▼3]主人公はあってしまう。つまり主人公は、本なら本という空間において、すでに決定されているというテーマなんです。今日のテーマはいうなら、決定された主人公というんですかね。つまり、主人公そのものがある物語の中で、主人公として決定されている。主人公の条件もさらに決定されている。そういうことを、われわれはいろんな物語で、過去から現代まで、今の駄作というか、駄本というか、たとえば三田誠広って人の駄作中の駄作、悪いけれどそこまで含めてそういうものが貫通している、それを喋りたいです。

このごろ僕は何か躁気味で、だんだん軽くなってきたんです。体重は重いんだけど、軽くなってきて、エッセイ書いてもバカみたいなことばかり書いてしまうんです。あまり重い、暗い感じで書けなくなっている状態です。今日も電車でこっちに来ていまして、この前一回目は方向音痴だから連れてきてもらったんです。センチュリー・ハイアットで待ち合わせして。今日はずいぶん早くから出て、四時くらいに、もう時間なんじゃないかと

「視点」や「語る行為」それ自体が持つ物語性を浮かび上がらせようとした。中上が言及しているとおぼしき作品『嫉妬』はその代表作であり、語り手の心情を一見まるで描かないまま、しかし情景描写そのものが「それを観察して嫉妬する夫の視線」を明確に示す構造を持っている。

▼2 アンチ・ロマン　ナタリー・サロートやロブ＝グリエ、シモン、ビュトールらによって書かれた作品の総称。いわゆる物語らしい物語を持たない点をとってサルトルが「反小説」と書いたことからそう呼ばれるが、旧来の小説の枠組みを出ているために「反」しているに見えるにすぎず（ここで中上が行ってい

思って電車で来たんです。電車でここまで来て、書泉グランデ[4]ってあるでしょ、東京堂(書店)[5]の人には悪いんだけど、あそこを東京堂だと思ってまず行ったんです(笑)。あれっ、ここ違ったかなと思って、もう一度、あんな角じゃなくて真中辺りだなと思って、真っ直ぐ行って、それでも書泉グランデで、そういうわけで、道に迷って喋ることも無茶苦茶になるんじゃないかと思って。

それもこれも、ガムを噛んでいまして、舌噛んじゃうというそういうバカげたことを、多分全人類でガム噛む人はいるけど、舌を噛むのは僕ぐらいだと、ちょっと支離滅裂な状態なんですけどね。躁鬱病というのは、たぶん「文藝首都」[6]という雑誌に原因があるんじゃないかと思うんです。「文藝首都」という雑誌を言いますと、僕らの先輩から三十何年か続いた、非常に重い暗い文学の歴史を引きずった雑誌なんですね。そこで同人でもの書いていた、うんと古い人では芝木好子[7]さん、その次の世代くらいで北杜夫[8]さん、なだいなだ[9]さんとか。なださんはアル中なんですね。北杜夫さんは躁鬱病で、いつも躁と鬱を繰り返している人で。

そういうことで、今躁期で、新宿へ飲みに行っても、だいたい夜の三時には店閉まるんですけどね。文壇バーのママさんなんかは「私を殺す気な

るのもそのような指摘である)、実質は「新しい小説」と呼ばれるべきものだった。

▼3 たとえあなたと語りかけても　ミシェル・ビュトールの二人称小説『心変わり』が念頭にある?

▼4 書泉グランデ　神田神保町の大型書店。

▼5 東京堂書店　明治二十三年創業の、神保町でももっとも歴史の古い書店のひとつ。

▼6 「文藝首都」　保高徳蔵によって一九三三年に創刊された同人文芸雑誌。宇野浩二、丹羽文雄、平林たい子らの同人を持ち、中上健次をはじめ、林京子、津島佑子、新井満など数多くの作家を輩出した。中上健次はデビュー作「十八歳」をはじめ多くの短篇、エ

の、早く帰ってちょうだい」と、言われて追い出されてしまうんです。それからまた飲みに行くんですよ。自分の躁状態は「文藝首都」の遺伝じゃないかなと、この講演とは全然別のことを考えていたり。

さっきの話なんですけど、今から話すことも、この前に話したこともそうですが、小説の中の遺伝、小説というのはどうしようもなくある時代に発展、進化とか、あることが急激に起こったから、その時代にあったものが固着して残っちゃったみたいなことなんですよ。だから見取り図でいえばこんなことなんですね。（黒板に書きながら）物語の歴史、線的に流れているわけじゃないんですが、一応線的に考えてこういう神話の時代があって、どこかでぐるっとひっくり返る形で物語ができる。

日本の文学なんていうのは、これがずっといろんな形で、例えば語り物文芸▼10があったり、あるいは王朝期の文芸▼11があったり、語り物文芸のほうは、戦記物とか、勃興した武士の連中が語ったりする、そういうものです。さらにこういうものが流れてきて、外から文学というのが、こういう流れに衝突するんですよね。衝突して、ある今の近代文学、近代小説――こういう非常に偉い人が、中上健次が来て……（笑）。これがざっと日本の流れ

ッセイを執筆し、七〇年の終刊号の編集もつとめている。中上がかすみ夫人（紀和鏡）と知りあった場でもある。

▼7　芝木好子　一九一四―九一。小説家。四三年に『青果の市』で芥川賞受賞。ほかに『隅田川』、『湯葉』など。

▼8　北杜夫　一九二七―二〇一一。小説家。水産庁の調査船「照洋丸」の船医経験を描いた「どくとるマンボウ」シリーズで脚光を浴びる。代表作に『夜と霧の隅で』など。

▼9　なだいなだ　一九二九―二〇一三。小説家、批評家。慶應病院の神経科などに勤務しつつ執筆した小説、エッセイなどで注目される。

▼10　語り物文芸　『平家物語』や『太平記』をはじめと

です。西洋もたぶんそれほど変わらなくて、多分小説というものがあって、このあたりに勃興したブルジョアジー——一種物語を作って、書いて、読んで、ああ良かったとか、あそこは悪かったとか、大きなサロン的な形でほぼ遺伝してきた。そういうものが、ブルジョアジーの生活を反映していた。

もう一つ、さらにこの時期から下がってきた時期に産業革命にぶつかって、この時期に一番すごい変貌をとげたというか、表現というジャンルの領域が一気に拡大されて、単に内々のものが一挙に外に広がった。そのことの意味みたいなものが、今喋っている僕の躁鬱病みたいなもので、それが一回目に話した電話の問題とか車の問題に、痕跡として残っている。今日話すのも、主人公、あるいは登場人物というのが、このあたりの伝統とか、変貌とか、進化とか、あるいは意味が拡大してしまう、そういうものがここに隠されている。同時にこのことは何なのかというと、今僕らがいる世代、写真はどうだろう、映画はどうだろう。こういう二つの大きな別のジャンルを考えてみますと、写真機は産業革命の時に発明されひっくり返った。写真の場合、近代絵画、肖像画みたいな、今まであるものが崩れ落ちて全然違うものが見えてくる、そういうことが起こる。映画もこのあ

する中世の戦記文学は、その多くが「語りを聞く」という形式で伝承・消費されていった。その語り手は多くの場合、流浪の民であって、角川書店の祖・角川源義『語り物文芸の誕生』によれば、『義経記』において源義経が東北に落ち延びてゆく道行は熊野の修験者や時宗たちが辿った道筋であり、室町期における同作品の成立と流布には、彼らが深く関わっているとされる。

▼11　王朝記の文芸　『蜻蛉日記』、『和泉式部日記』など、主に平安期の宮廷文学を指す。平仮名の普及によって、宮廷にかかわる女性たちの日常を描いた日記作品が多い。

▼12　折口信夫　一八八七—一九五三。民俗学者・詩人。

たりに帰因してる。さっきの車のこと、映画のことでも、小説に閉じ込められている遺伝というものを考えることは、写真を考えることでもあり、映画を考えることでもある。これは、ほとんど共通のことを考えることだという前提に立っての話だと思います。

『オイディプス王』と「貴種流離譚」

僕の考えていることは、それまでに何回も話したことだし、何回も書いたことで、主人公というのは、はっきり主人公の条件というのが決定されているということなんです。どんなふうに決定されているかというと、具体的に例を出すと、今僕の頭の中に三つあります。折口信夫[▼12]という人、柳田国男[▼13]という人、もう一つは、ソフォクレス[▼14]、フロイト[▼15]でもいいです。こういう人が見つけた、『オイディプス王[▼16]』という物語、フロイトも『オイディプス王』というギリシャ悲劇、あるいはもっと前のギリシャ神話を一つのサンプルとして考えていって、そこでエディプス・コンプレックス[▼17]というようなものを発見していく。それは一つの言説ですね。フロイトが考

柳田国男の「郷土研究」に投稿して知己を得、柳田の日本民俗学に触れる。その影響下でのちに「マレビト（＝他界から訪れて祝祭などを司る異人的な存在。他界の認識や国文学の成立に影響したと考えられる）」、「貴種流離譚」などの概念を創造した。

▼13　柳田国男　一八七五―一九六二。民俗学者。「常民（＝主に、町や村に住む定住民を指し、非定住民と区別された。民俗伝承を保持している人々の意もある）」という民俗学上の概念を発想し、のちの日本民俗学に多大な影響を与えた。代表作に『遠野物語』、『明治大正史――世相篇』など。

▼14　ソフォクレス　前四九

えていったことが、あるいはフロイトが見つけたことが真実である、というこことじゃないですね。オイディプス王をどんなふうに捉えるかという問題なんですね。

ソフォクレスの『オイディプス王』というのは、こんなストーリーだったと思うんです。あるとき、テーバイという国で悪病が蔓延している。王と妃はいったい何でこんなことになったのかと占い師に占ってもらうんですね。占ってもらうと、そこである事実がわかってくる。事実というのは、このテーバイの国で自分の父親を殺し、母親を犯した、そういう人間がいる。そのために神の祟りみたいなもので、悪病が蔓延する結果になったんだと。そんなことをする奴は誰なんだ、探せというので、それは本当は王となったオイディプスなんだけど、そいつが自分のことも知らずに原因追求に突っ込んでいきます。

それで最初にオイディプスの父親と母親が——それは王様なんだけど——オイディプスの生まれたばっかりの頃に預言を受けまして、この子は父を殺し、母を犯すだろうという預言を受けて、父親がオイディプスを家来に殺せと命じまして、殺させるんです。ところが家来の方は殺すのは忍びないということで、そのまま荒野に捨てたままにしておいたんです。捨

六—前四〇六頃。ギリシアの悲劇作家。『オイディプス王』、『アンティゴネー』などの悲劇作品を遺した。

▼15 フロイト、ジークムント 一八五六—一九三九。オーストリアの精神病理学者。『夢判断』、『精神分析入門』など。精神分析の創始者。

▼16 『オイディプス王』 ギリシア神話に原型を持ち、ソフォクレスによって書かれたギリシア悲劇。やはりソフォクレスによる『アンティゴネー』や、アイスキュロスによる『テーバイ攻めの七将』など、おなじ神話を原型とする物語が複数存在する。本文中の要約をいくぶん補足・修正すれば、オイディプスの実の父母（テーバイ王ライオスと、

てたままになったその少年オイディプスは、隣の国の者に拾われて、隣の国で立派な青年になった。その隣の国とテーバイの国が戦争になって、青年オイディプスは予言通り、父である王を殺し、王の嫁であった自分の母親を妃に迎えてしまうんです。子どもまで作ってしまう。そういうストーリーです。それが、探索の結果、明らかになるわけです。それは自分であったのかと、オイディプスは両目を潰してしまって放浪の旅に出るという、そういう物語なんですね。

それで、フロイトは何をそこから見たかというと、一種人間の原罪みたいなものだと思っているんでしょうね。つまり人間が人間の関係の中で育つときに、原形みたいなものとして、父を殺し、母を犯すというエディプス・コンプレックスがあるという、そういうことを見つけていく。深層にそれはわだかまっている、それを見つけていく。それは単純に言えば、ソフォクレスの劇の中の最後の結末で、母と父と自分という三角の輪というのを掴み出したんですね。

ところがもう一つ、これと同じような形が神話の時代にあるんですよ。日本ですと、『万葉集』[18]に出てくる有間皇子[19]とか、いろんな人間が、ある

その妻イオカステ）が親殺しの預言（神託）を受けたのは、イオカステがオイディプスを身籠る前であり、捨てられたオイディプスを養子としたのは隣国コリントスの王ポリュポス。成長したオイディプス自身も親殺しの予言を受けるが、それをポリュポス殺しのことと受けとってコリントスを離れ、その旅先で実父と知らず、ちょっとしたいざこざでライオスを殺してしまう、という皮肉な構造になっている（戦争によってではない）。その後テーバイの王位に即くのも、怪物スフィンクスを倒した結果としてである）。

▼17　エディプス・コンプレックス　フロイトが、幼児の自我発達過程に見いだした心

貴種が殺されてしまう、流されてしまう。それを柳田国男がどう言うかというと、「流され王」、折口信夫は「貴種流離譚」という、そういうものを書いたんです。見つけたんです。柳田と折口の発見の過程というのは、物語がありますと、物語を静止して、止めて考えているわけじゃないんです。彼は、物語をどういうふうに考えているか。オイディプスの物語を柳田・折口ふうに考えていくと、小さい者が流されていく。そしてこれが戻ってきてすごい力で悪なら悪になる、とそういうことが抜けている。フロイトの方においては、小さい者が流されていくというのが、全部伏せられている。そういうことが日本とユダヤ的なものの考え方の違うところだと思うんです。

これは文学と小説、あるいは文学と日本の物語との違いでしょうね。僕が考えるのは、小さい者が流されていく、これが基本的に主人公として決定されている条件じゃないかと思うんです。どんな物語においてでも小さい者が流される、単にどこかに捨てられるというんじゃなしに、殺すということが前提で流される、あるいは傷を与えて流される、そういうことですからね。そうすると主人公というのは流されていく者、「貴種流離譚」ですと、これは貴種が流される。流された者は傷を受けた者であるわけで

理状態。母親を所有しようとする欲望の過程で、(母親の配偶者である)父親に同一化する自我と敵視する自我とが衝突し、結果としてそれを自我の理想系(超自我)としてしまう発達のモデル。『オイディプス』の主人公にちなんで名づけられた。

▼18 『万葉集』 日本に現存する最古(七五九年)の歌集。全二十巻四千五百首を収録、大伴家持を編者とする説が有力。柿本人麿・山部赤人・大伴旅人・山上憶良をはじめ、天皇や貴族から無名の防人、遊女まで様々な詠み手の歌を収録。

▼19 有間皇子 六四〇—六五八。歌人。孝徳天皇の子。大化の改新を行った中大兄皇

す。傷を受けた貴種、傷を受けた王子様であるという、そういう形で日本の文学が捉えてきた。

日本の文学は、さらに生き延びて、戻って来て悪病をもたらすと、そこまで考えなかった。考えなかった理由というのは、日本はそんなに自然が過酷じゃないし、みなもっと優しいもんだという、そういうことがあるかもしれないし、あるいは日本の中にある山川草木が神様だとか、どこかで自然と融合し合うような、単純に言うと自然というのがストレートな悪というんじゃなくて、自然が善悪の判別のつかないような形を持っている。そういうわれわれのものの考え方の中に隠されているそんなものが、柳田・折口がこのリアクションを捉え切れなかったということの問題なんじゃないかと思うんです。

どんな物語を考えていただいても[20]いいんだけど、基本的に主人公が傷を受けた子、傷を受けた王子様として存在してしまうことなんですね。傷を受けた子、王子様というのは、今のあらゆる物語の中の原型で、みなし児であり、私生児であるという、そういう形として、どんなふうに物語の中で解かれていくかというと、単純に言うとみなし児として解かれていく。さらに私生児として解かれていく。母親が勝手に産んだんだ、そういう子

子とその母、斉明天皇の留守に謀叛を企て、弱冠十九歳で処刑された。

▼20　どんな物語を考えていただいても　「小説」が近代（産業革命以後）のメディアである以上、そこで描かれるのは本来それ以降の社会や制度であるはずだが、必ずしもそうはならないのは、私たちの現在に、あるいは小説が成立した産業革命期にも、それ以前の社会や制度の残滓やそこで培われた感覚が有形無形で残っているからであり、逆に言えば、小説の主人公にしばしばみなし児や私生児が登場するのは、そのような「小説の時代以前」の制度の余韻ないしはそれらに対する無意識の郷愁が、小説を読み、書

供として解かれる。みなし児というのは、両親がない。私生児というのは父親がない、そういう二つですね。そういう形で物語の中で解かれている。神話の時代では「流され王」の形になったんだけど、物語という時代においてはみなし児、私生児として作られているんですよ。みなし児、私生児というのは……おかしいな、文章だと直せるんだけど、先に喋っちゃうんだね。考えることと喋ることが合わない、先に考えて、喋るのが遅いから合わないんだね(笑)。

この主人公の決定論みたいなものは、もう少し考えていくと、古代において、あるいは近代以前にあった家族形態とか、子供の育ち方とか、そんなものも原因しているんじゃないかということです。近代以前、古代というのはこんなことなんです。なるべく早く、あまり説明しないでいくからついてきてください。現代小説というのは、遺伝として産業革命時代の急激な変化というのを露骨に残していると。さらに、産業革命以前のもっと先にあるものも、産業革命の時期に残されたものを考えると、もっと昔のものが透けて見えるということなんです。みなし児、私生児というのが、主人公として形をとって現れている。ここでこう言うみなし児、私生児というのが、もっと古い昔の、大昔ではこれは当たり前だったんじゃないか。

く私たちにいまなお在るからである——という、坂口安吾「文学のふるさと」にも一脈通じるような意味なのだろう。本書を通じて中上の発言に特徴的なのは、そのような「埋め込まれた過去」とでも呼ぶべきものが「ワープ」のように唐突に私たちの現在に接合されることの、無時間性や突発性(あるいは「遊牧」や「生成変化」)に一貫して注目している点にあるだろう。

▼21　マリノフスキー、ブロニスラフ　一八八四—一九四二。イギリスの人類学者。フィールドワーク(現地調査)と参与観察(=調査対象の社会に一定期間滞在・生活しつつ調査を行う)の手法を確立したことで、近代人類学を創

当たり前だったゆえに、産業革命の時に入り込んできて、当たり前だからストレートに現代まで物語の中に流れ込んできたということなんです。

これは説明抜きにするんだけど、例えば昔は親の集団とか、子の集団とか、そんな形でわれわれは暮らしていたんじゃないか。今みたいに一夫一婦制とか、家庭とか、そんなのはなかったんじゃないかということなんです。それは古代の家族研究とか、マリノフスキー[21]なんかがやっていることとか、文化人類学のフィールド・ワークとか読んでいただけば分かるんだけど、大体こういう形で出てくるんです。これが親の群れと子の群れ。

もう一つ、親の群れも分岐するんじゃないかと。子どもを作れるグループと作れないグループというのがあったと。これは一種「仮母(かぼ)」のようなもの、仮の母親のグループと真っ盛りに子供を産むようなグループがあったんじゃないかと。こういうことから考えていくと、見取り図を描くんだけど、これは主人公にずっと行って流れ込んだ仮母という集団、グレートマザー[22]であり、非常に大きな母親というか、父と言ってもいいんだけど、母権制のときには大きな母であり、父権制のときには一種父となり、ここで透かし見えるのは国家であったり、村という共同体であったり、ここの向こうに透かし見えるのは、われわれがいつも体験している自然というも

始したとされる。主著に『西太平洋の遠洋航海者』。

▼22　グレートマザー　もとは原始宗教の最上位にある女神をさすことば（太母）。母なる大地の象徴であり、少女性と母性を同時に持つ存在。二十世紀の心理学者ユングは、自我の形成過程にある主体が現実の母親との葛藤のさきで理想の女性像（アニマ）を作り上げる際に参照する元型を、その名前で呼んだ。

▼23　稗田阿礼　『古事記』の編纂者のひとり。『古事記』を口述したと言われているが、詳しくはわかっていない。

▼24　路地　主に『岬』以降の中上作品でしばしば前景化される、被差別の歴史を背負った虚構空間。『枯木灘』

のであったり、あるいは神というものであったりするんだけど。物語として組織されている、神話の時代から物語に変転していくときに、仮母というのはものすごく大きな役割を果たしたということなんです。仮母というのは、この集団が主人公の集団として成長していって、この集団が語り手のような形で動いていったんじゃないかという仮説なんです。この語り手の立場によって、親がときどきすごい悪になったり、すごい善であったり、やさしい自然であったり、怖い自然であったり、あるいは神という形になったり、語り手のコントロールによって、この集団は絶えずそんなふうに向き合ってしまったんじゃないか。

そのことが、このみなし児、私生児という、現実に社会的な環境の中ではひそひそ声で喋るような類というか、僕自身もほんとは私生児なんですけどね、だいたい僕ぐらいでしょうね、私生児と言って喜んでいるのは（笑）。そういう社会的な傷を受けた者ですね、就職で不利になったり、いろんなことを引きずって抑圧を受けてしまう状態です。それは物語の世界になると、俄然読者を引きつけたり、彼や彼女の苦痛や悲しみが、現実ではわれわれ分からないのに、主人公として登場するとぐっと惹きつけられて、涙を流して感動したりする。基本的に、それがよく書かれた物語とか

の主人公、秋幸の生まれ育った場所であり、『千年の愉楽』では中本の一統の若衆たちが、そこで短命な一生を終える。『地の果て 至上の時』ではその解体が描かれ、『日輪の翼』ではそこに暮らす老婆たちが旅立ってゆく。

▼25 『枯木灘』 中上健次の代表作。父親の違う兄姉と、腹違いの妹弟を持つ主人公・秋幸が、自身の血をめぐる物語の濃密さと、熊野の「路地」の持つ息苦しさとに抗おうとする物語。

▼26 浜村龍造 「秋幸」の実父として、また、ならず者「イバラの留」として、秋幸三部作ほか『奇蹟』や『鳳仙花』にも登場する、中上作品のエディプス的存在。ときに

そういうことでなくて、こういうところまでずっと辿って、われわれは読んでしまうからなんだということなんです。その形が、語り手というのが、仮母、この非常にややこしい状態のものがそれをコントロールしているんだということです。

主人公というのはすでに決定されている。最初の例で、アンチ・ロマンのロブ＝グリエの主人公たち、露骨にアンチを唱えたというそういう物語の中でも、この見取り図から抜け出せない状態になったんじゃないか。それゆえに彼らが反抗の方向を見失ってしまって、今みたいなつまらない駄作を書くような人間になってしまったということです。

質疑応答

Q：仮母が子どもたちの世代に対して十分役割を果たす語り手になるんだったら、実の親と子との関係というのは繋がらないことなんですか？

A：多分ほとんど繋がらないと思うんです。ある共同体の中でやっている

みずからを「蠅の王」と称し、ときに実子の近親相姦を笑い飛ばす、豪放磊落な人物として描かれる。『地の果て 至上の時』では、秋幸の見ている前で謎の自殺を遂げる。

▼27 秋幸　竹原秋幸。『岬』、『枯木灘』、『地の果て 至上の時』をあわせた三部作の主人公。父親の違う兄や姉を持つも、秋幸だけを連れて母親が再婚、実兄が縊死するなど、中上健次本人と重ね合わせられることの多い登場人物。

▼28 シャーマニズム　シャーマンの宣託を基とする伝統宗教。広義には、世界各地にさまざまな形態が存在するものの総称であり、沖縄の「ユタ」や青森の「イタコ」などもこれに含まれる。

でしょ、だからほとんど関係ないと思います。

Q：子は子、親は親の集団、そこに子どもを産まない母親たちの集団というのが……

A：ひいては展開していって、子どもを産まない、あるいはもう産み終わったというか、稗田阿礼▼23みたいな、物語をするばあさんみたいなそんな形になっていくと。

Q：例えば「路地▼24」という場所ですね、聖なる場所というか、そういう場所に関して、それは、パキスタンとかに行ってらして、アジアの、大陸のほうと島国との間の交通というところにも関係してくると思うんですが、そこらへんのことをお聞きしたいです。

A：それは、一回目に喋ったことだよね、場所の問題というのは。一回目に車ということを使った時に喋った問題なんですけど、「路地」をいきなり聖なる場所と言うんじゃなくて、聖なる場所としての「路地」と言うと

▼29『オセロー』シェイクスピア作の四大悲劇の一つ。ヴェニスの将軍オセローが、恨みを抱いた部下イアーゴーの奸計にかかり、嫉妬の果てに愛妻デズデモーナを殺してしまう物語。後に真実を知ったオセローは、剣で自分の喉を刺して自害する。シェイクスピア後期の傑作。

▼30『千年の愉楽』「路地」を舞台とした、高貴で澱んだ血を持ち、それゆえに美貌と短命とを宿命づけられた中本の一統の若衆たちの物語。路地の産婆「オリュウノオバ」を語り手に、六人の主人公たちの鮮やかな生き様と死が描かれる。中上作品のなかでも屈指の完成度を誇る短篇連作。二〇一三年、若松孝二監督に

き、どういうものが聖なる場所を作っているかというと、この形がだいたいそのまま残っている。日本のアジア性みたいなのが、残っている共同体の中において、田舎を考えてもらったらいいけど、例えば青年団が村のお祭りを取り仕切ると。その青年団たちが御輿を担ぐっていうんで、若衆宿みたいなのに泊まりこんだり、そういう形をとるだろう。なぜ若衆宿みたいになってしまうのか言いますとね、こういうことがすっと出てくるからなんだと思います。こういうことっていうのは、われわれ今現代生活をしていて、一人一人別々だとか、家に帰れば自分の巣があるという言説に、まあ言説の中に生きているわけですけどね。本当は、それはごく最近のファッションじゃないかという感じがするんです。都合がいいから、資本の流れが流れているからという、たまたまそういう形をとっているだけだと思うんですね。本来はこういう形で、子の集団、親の集団、あるいは仮母の集団があって、共同体がもっていたんじゃないかと、それが場所を同時に作っていたということなんだよね。

Q：例えば先ほど小さい者が流されるということで、帰ってこられないようにおっしゃったんですけど、客人（まれびと）とかの形はどうなりますか。

より映画化された。寺島しのぶが、オリュウノオバ役に起用された。

▼31　オリュウノオバ　「路地」のはずれに住み、夫である毛坊主（一般的には、浄土真宗の門徒で、俗人でありながら僧侶の代行を行う者を指す）の「礼如さん」とともに、路地のひとびとの生と死をとりしきる産婆。読み書きができないかわりにすべてのひとの祥月命日をそらんじるその記憶力から「路地の語り部」として在り、『千年の愉楽』や『奇蹟』では登場人物たちの生誕と死、集合と離散の全てを見届ける役割を与えられた。新宮市春日の実在の人物「田畑リュウ」がモデル。

▼32　ビュトール、ミシェル

A：渡来神だとかはまた別のものだと思いますよ。外から来る、彼方から渡来してくる神ということで。主人公が成長して客人として戻ってくるというのではない。僕は今主人公論として、もう一つ、集中的に考えたことがあるんだけど、具体的に『枯木灘』[25]とか『地の果て 至上の時』で書いた実父とか、浜村龍造[26]とか、蠅の王とかそういう奴がどんな奴かというと、この範疇の中で言えば、父とか母とかいう、語られてできあがる父や母ですよね。これは浜村龍造が元々あって、元々その通り悪じゃなくて、読んでもらえば分かるんだけど、噂で作られているんですよ。噂を聞いて、『枯木灘』においても秋幸[27]は、噂を聞いてどんどん作っていくんですね。だからあそこで問題にしてほしいのは、仮母の位置ですね、仮母というのがコントロールしている。そういう形で、自然とか悪とかの形に、僕は仮母を使って接近させたんですけど、仮母を使って僕が接近させたということは、物書きや小説家というのは仮母の一種なんですよ。本来は、これは難しいんです。シャーマニズム[28]とかを考えると、仮母は、本当のシャーマンというのは、皆さん女だと思うかも知れないけど、昔はうんと強いシャーマンというのは、原型的に男なんだという考えもありましてね。だから、

一九二六—二〇一六。フランスの小説家。ロブ＝グリエ、シモンらと並ぶ「新しい小説（ヌーヴォー・ロマン）」の作家。初期には、複数の時間軸を持った『時間割』や、同時に生起する複数の事象を並列に記述した『合い間』など、ひとつの書物を複層化する試みを手がける。のちにはカードの組み合わせや画家との共作など、より運動性を伴った、今日のハイパー・テキストの原型的作風に向かった。

▼33 **蓮實重彦**　一九三六年生。映画評論家、仏文学者、作家。七〇年代にはロブ＝グリエやジャック・デリダ、ジル・ドゥルーズといったフランスの現代思想、現代小説を紹介し、八〇年代には先鋭的

そういうものと仮母というのがくっつくんですよ。物語論とか文化人類学とかをやりますとね、くっついてしまうんです。それは小説家として、血の流れとして、ここに今僕がいるという、そういう形だろうと思うんですよね。

Q：そうすると仮母というのは、圧倒的な力を持った身勝手なものなんですか。

A：そうなんです。身勝手なものなんです。『オセロー』[29]って知っているでしょう。オセローが女房を殺してしまうのです、嫌疑をかけてね。何なのかというと、あのイアーゴーという奴が吹き込んでいるわけでしょ、そいつを信じているんですよ。物語の語り手というのはイアーゴーなんですよ。あるいは僕の『千年の愉楽』[30]という小説だったら、オリュウノオバ[31]という老婆として、典型的に出てくるんです。イアーゴーを山口昌男さんふうにスライドさせていくと、トリックスターみたいになっていくんです。語りというのは、要するに語るというのは、出鱈目を騙ることでもあるんですね。同時にそれはつきまとうもんですからね。そうやって主人公が絶

な文芸・映画批評を次々と発表した。独特の文体と、理論で多くの影響を及ぼした。青山真治、黒沢清といった優れた映画監督を門下から送り出している。主著に『「ボヴァリー夫人」論』、『伯爵夫人』(小説)。

▼34 『物語ソウル』 中上健次が小説を書き下ろし、荒木経惟がソウルを撮影したコラボレーション・ブック。刊行から二十年を経た二〇〇四年、中上の長女・紀の小説と荒木の写真により『再びのソウルの「記憶」』が出版されている。

▼35 ドゥルーズ、ジル 一九二五—九五。フランスの哲学者。経験論と観念論の批判的考察から出発し、差異の概念を基盤に、先行する近代西

えずみなし児、私生児という、傷を受けた存在になってしまう。そうするのが、物語というものの一番気に入ることなんですよ。アンチ・ロマンというのは、一つもそのことに解決をしてなくて、あるいはこのことを見てなくて、仮母の位置はどうなのか、何かすれば変わるんじゃないか、あんなふうにバラバラにものを切っていくというか、バラに分節化していくというか、ストーリーをバラバラにする。ストーリーがないとか、そんなふうにしてしまっている。だから例えばビュトール▼32が小説の中であなたと語りかけると、いつの間にかそう言って喋っているうちに主人公は立ち上がって、ほとんど普通の小説と変わらない形になってしまう、そういうことなんです。

Q：仮母というのは物語の生理というか、物語自身が要求しているということなんですか。

A：そうでしょうね。それを本当にコントロールするのは、じゃあ誰なのかということですね。これはまた難しい。これは仮母という邪悪なものだけれど、本当にコントロールするのは誰なのか。もう一つジャンピングし

洋哲学の再検証を試みた。のちにフェリックス・ガタリとの共著『アンチ・オイディプス』によって資本主義の再考を、また『千のプラトー』によって「リゾーム」、「器官なき身体」、「情動」といった概念を構築、一九八〇―九〇年代の日本の哲学・批評に大きな影響を与えた。

▼36 リゾーム　ドゥルーズ・ガタリによる概念。それまでの西洋哲学が直進／分岐する樹状の思考モデルであったのに対し、リゾーム＝地下茎的で無数の回路がありうるような、ネットワーク型の思考モデル。特定の中心や始点を排除し、異質なもの同士の接合・衝突による生成変化に重点が置かれる。

てね、本当にコントロールするのは、この神とか、悪とか、自然とかいった類の、こいつなんじゃないかということなんです。これは蓮實（重彥）[33]さんかなんかだったら、ここで口をつぐんでしまうところなんだけど、つまり物語を本当にコントロールしているのは、神とかこういうやつが、仮母を使って自分を崇め奉らせるとか、そんなことをしている。あるいは自分を悪い奴だと言わしめてるんじゃないかと。そういうことを小説で考えたのは、僕の作品においては、『地の果て 至上の時』という作品です。僕もわけわからないけど、ちょっと休憩します。

あらかじめ決定された主人公

（休憩後）そこで話していますとね、非難囂々（ごうごう）、非常に分からなかったと（笑）。先に帰った美人の編集者が、宣伝してくれと言いますので、宣伝しときます。僕ね、新しく『物語ソウル』[34]というのを出すんですよ。ぜひ買って下さい。パルコ出版からです。買うなら東京堂で（笑）。

休憩の後は、どんなふうに小説を書くのか、皆さん小説を書こうとして

▼37 パパ、ママ、ボクという三角形　浅田彰が『構造と力』で、ドゥルーズ的エディプス・コンプレックスおよびラカン的な想像界―象徴界の関係を、母と子の個別関係をあらわす平面と、その直上にある超自我的な父という、円錐図を使って示したことを指しているとおぼしい。

▼38 『伊勢物語』　平安時代初期に成立した日本最古の歌物語。作者不詳、全百二十五段。在原業平とおぼしき貴公子の元服から終焉までが、散文的な地の文と和歌とを重ねながら綴られている。

▼39 ホッファー、エリック　一九〇二―八三。アメリカの社会思想家、哲学者。さまざまな労働に従事しながら大衆

らっしゃると考えて、どんなふうに具体的に主人公を書くのか、そういうことに繋がる話をしたいと思います。僕、三つの新人賞の選考委員やっているんですね。「野性時代」と「文學界」と「新潮」と。それを読んでいて、あまり分かっている人は応募してないですね。こういう話というのは、賞金獲得のために応用していただきたいんですね。単純に小説で一番強い力を発揮するのは何なのかなあと考えると、日本の私小説はバカにできないんですよ。日本の私小説といっても身辺雑記のように、例えば犬が吠えたとか、それだけじゃ面白くないですね。よっぽど年季積んで、修羅場をくぐり抜けた人が、犬が吠えた、鳥が飛んできた、朝顔が咲いたとかを書いても、修羅を透かし見るということで、滋味深いかも知れないけど、そうじゃない限り、ちょっと違う形で考えてもらいたい。

そういうことで、さっきの原型みたいなことを話しますと、浅田彰がこのごろよくパパ、ママ、ボクと、寸足らずというか、自分ののみ込みやすいことで、一つの思想をやっちゃうとやっぱり身も蓋もないです。ちゃんとしたものは、ちゃんとした形のものは見なくちゃ。その思想の中に含まれているダイナミズムとか熱量とか、そういうものを逃してしまうと損しちゃうと思うんですね。ドゥルーズ▼35でも、彼が言っているドゥルーズは、

運動の分析を行い、独自の考察を示した。著書に、港湾労働の日々を記録した『波止場日記』などがある。

▼40 吉本隆明　一九二四—二〇一二。詩人・思想家。「高村光太郎論」で注目を浴び、五六年の武井昭夫との共著『文学者の戦争責任』以降、「転向論」、『共同幻想論』ほか原理的であると同時にジャーナリスティックでユニークな著作を次々と発表、全共闘世代を中心に広い支持を得た。八〇年代以降は『マス・イメージ論』、『ハイ・イメージ論』（Ⅰ・Ⅱ・Ⅲ）など、サブカルチャーも視野に収めた論考が多い。小説家・吉本ばななの父親。ここで中上が触れている「自己表出」という

その辺りのホカホカ弁当というか、これがうまいと提示しているドゥルーズみたいになるんだけど、ひとつも面白くない。ドゥルーズのやっているリゾーム[▼36]ってやつは、ホカホカ弁当の暖かさくらいしかないという類になっちゃう。そういうあれじゃなくて、パパ、ママ、ボクという三角形[▼37]で、もう少し違う架空の場所なんです。

だからこういう形で原型を考えて、もちろん浅田彰の言うように、私は父と母のもとで育つなんていうのは近代のたわごとであって、われわれが取り巻かれている国家のバラ色を装ったガイドみたいなもんです。本来は、もう少し父も母も、私たちとか、複数の父たち、母たちであったはずなんです。それは今の形だから、父と母と私と言うと、今ふうに見えてしまう。どうしても見えてしまう。決してパパ、ママ、ボクという浅田彰が言うような形ではない。だから私の向こうに私たちがある。母たち、父たちがある、複数というのを想定して考えてみたいと思います。小説で書いて一番面白いと思うのは、そういう原型的なものを書くことが一番面白いんじゃないかと。誰でも小説を書きたいと思うとき、さっきの傷じゃないけど、傷を受けた状態で書きたいと思うんですね。さっき折口信夫のことを言ったんだけど、折口の言葉から考えると、つまり日本で物語の最初の形みた

概念は、『言語にとって美とはなにか』(六五年)で、或る対象をめぐって発語する主体の内的欲求に基づいた自己外化=自己対象化作用を指し、対象指示機能としての「指示表出」と対の概念をなす。

▼41　服部達　一九二二—五六。文芸評論家。「メタフィジック批評=内的価値の評価」などの概念により審美的な批評の確立を説いた。『われらにとって美は存在するか』を遺して自殺。

▼42　遠藤周作　一九二三—九六。小説家。主著に『海と毒薬』、『沈黙』など。「狐狸庵山人」とみずからを称した洒脱なエッセイで人気を博した。「第三の新人」のひとり。

▼43　イッヒ・ロマン　一人

いなもの、例えば『伊勢物語』[38]なんて歌と繋がっているんですね。歌というのは、折口信夫が言うように、「訴える」という言葉からきているんだろうと思うんです。あるいは「打つ」とか、人を打つ、手を打つとか、ものを打つ、そういうものからきてる。そういうものと表現行為というのは、同じ血を持っていると思っていただいて結構だと思います。

じゃあ打つ、あるいは歌っていうのが傷というのと非常によく似てるもんだと、くっつくもんだと考えてみたいですね。じゃあ傷を受けた奴はどんなふうにして直すか。単純に言うと、人間でも動物でも傷受けるとどうすると思う？　呻(うめ)くんですよ。考えてみると、呻くというのは、一番人間の訴える行動なんです。呻くというのは神道とか、神に祈る行為みたいなのを考えると、どうしてもあるものを訴えたいと思うと、バイブレーションを起こすんですよね。バイブレーションを意識的にも無意識的にも起こしているということなんです。一番強いバイブレーションが、呻く行為なんです。うーっと呻くことによって、人の中に振動が起こって、振動が起こることによって、あるものがむくむくと活気づけられる。そういう行為なんです。訴えるとか、書くという行為は、ほとんどそれとくっついているると思うんです。

称で、主人公が自身の体験や運命を語る形式をとった小説。もとはドイツ語の Ich（私）Roman（小説）。語り手＝私がその小説の作者と捉えられがちな日本の「私小説」とは違い、とりあえず一人称で語っていることが条件。とすれば表面上は必然的に、主人公の価値観が作品の軸として機能することになり、服部達的な審美眼の作用するところが多くもなろう。

▼44　『罪と罰』　ドストエフスキーの長篇小説。自身が特別な存在であることを証明するには、その悪行が神によって許されることを確かめる必要がある、と考えて殺人を計画・実行する青年の物語。悪を実践しようとするわりに、

文字を書くというのは、単に書くことが好きだからということじゃなくて、呻く行為みたいなものとほとんどくっついている。誰でも最初にものでも書いてみようかと——エリック・ホッファー[39]とかの例を何度も言ってるんだけど、芸術家とか表現者というのは生産関係から放り出された人間なんですよ。エリートコースを走っていて、だめになって職を奪われたと、どうするかというと、ぼーっとして小説でも書いてみようかと、そんなふうになるものなんですね。だからホッファーなんかも言うんだけど、疎外を克服する手段として表現とかは起こって来ると。決して吉本（隆明[40]）さんの言うように、自己表出っていう、最初から原型的に何かを表現したいという衝動が自分の中にあるんじゃなくて、むしろ受身なんです。傷なんです。そう捉えていただいたほうがいい。主人公が最初から傷を受けてしまっているように、われわれもそれを作り出すほうは、傷を受けたところがある物語の仮定作用なんです。仮に設定された根拠なんです。もともと根拠なんかないと言えばいいんですが、ないならどうして書くのかということになってしまうから、仮に設定された根拠だということを押さえてもらいたい。だから傷を受けてないと、ものなんか書けないんです。遊び暮らしていて、もっと面白いことがいろいろあるんだけど、文字というのは、

金貸しの老婆ならOKだろうなどと考えるところがどこか小心者。

▼45 『赤と黒』 スタンダールの長篇小説。赤＝軍人（ナポレオン）と黒＝僧侶、いずれの道に進むかに悩む若者ジュリアンの、成長と恋愛の物語。自分を神学校に送り込んだ、家庭教師先の夫人レナールとの愛憎が見どころだが、純愛小説と呼ぶにはジュリアン、女好きすぎ。

▼46 『鳳仙花』 一九八〇年、作品社。秋幸三部作で母親として登場するフサの半生を描いた。材木商・佐倉や流れ者・浜村龍造ほか、秋幸作品で背景として登場するものたちとフサの出会いが描かれている。ほとんどが男性を主人

好き好んで書けるようなしろものじゃない。

だから歌の原型というのは、あるものを訴えるということ、訴えるということは要するに外から来てしまったものが内側にこもり、内側が壊れかかっているから外に吐き出すと。つまり訴える相手が、自然でも人間でも石でも何でもいい。そういう行為が打つという行為であって、同時に歌でもある。それとまったく形は同じです。それを一番状態として見やすい状態が、父たち、母たち、私たちという、この三角形みたいなのを考えていただければいいんじゃないかと思います。それを小説としてダイレクトに書いちゃったほうが、物語の欲求に忠実になって、物語の成果を約束されやすいということなんです。そういうことで、僕が言っているのは、例えば服部達[41]なんかが言ってる、昔、遠藤周作[42]とかそういう人たちと一緒に評論活動をやっていた服部達という人なんかが言っていたイッヒ・ロマン[43]みたいなものの、新しい提唱のし直し方かもしれない、僕の言っているのは。ただ僕は、服部達を今集中的に読んでいるわけじゃないから、どこが違って、どこが引き継いでいるかとは言えないけど。

もう一つ、皆さん小説書くのでしたら、私というもの、私が主人公になりますね。主人公を徹底して例えば悪い奴にすることもできるし、徹底し

公とする中上作品では異色作。

▼47　小栗判官と照手姫　小栗判官という知友兼備の武将が横山大膳なる者のもとに身を置く照手姫と出会い、横山の手で毒殺されそうになるところを姫に助けられようとする逸話と、九死に一生を得た判官が、身を落としていた姫を救い出して娶るまでの物語。いちど死んだ判官は、餓鬼阿弥として生き返り、東海道を下って熊野本宮にたどりつき、そこで四十九日の湯治を経て雄々しい小栗判官として再生する。説経節や歌舞伎の素材としてながく親しまれている。

▼48　エイズ　HIV（ヒト免疫不全ウィルス）への感染によって発病する、後天性免疫不全症候群。ウィルスその

て優しい人間にすることも、両方できるんですね。そうすると私を徹底して悪くしていくと誰になるか、『罪と罰』[▼44]の主人公みたいになるかもしれないし、あるいは『赤と黒』[▼45]の主人公みたいになるかもしれない。良くしていくとどうなるか、たぶん神話とか民話とかそういう世界に近づいていくと思うんです。小説では私はおかしいとか、私は良いとかは言えないんですよ。私は悪いってことは言えるが、良いってことは言えないってこともちゃんと分かって欲しいんです。

良いってことは相当チェックをしてないと、ナルシズムみたいになってしまうんです。鼻についちゃって、分かりきっているよと。もう一つ、私は悪いという書き方より魅力がないと思うのは、物語の枠組み、さっきの仮母としての語り手、物語自体が孕んでいる欲求みたいなもの、邪悪な欲求、それとくっつかないだろうと。こう物語があるわけですね、この物語の枠組み、これの一番最たるものは例えば聖書なんです。一番完璧にできているのが聖書ですね。新約なんて特に象徴的だけど、イエスがみなし児、私生児ですね。私生児のパターンみたいなのが典型的に出てくる。母親がマリア様で、これは母が子どもを庇護している。子どもは純朴であると、悪はこっちの方にある、そういう形が出来上がるんですね。この小さい者

ものが非常に変異しやすく、次々とかたちを変えて人体を浸食しつづける性質や（それゆえワクチンも効果が低い）、性交渉など体液交換によって伝播・拡大してゆく感染ルートが、それまでの、治療の対象としての受動的なウィルスあるいは病気のイメージを塗り替えたため、この講演が行われた一九八〇年代にはとくに、『隠喩としての病い』（スーザン・ソンタグ）、『未確認尾行物体』（島田雅彦）など、直接・間接に現代思想や文学の素材ともなった。

▼49　柄谷行人　一九四一年生。批評家。一九六九年に「〈意識〉と〈自然〉」で文芸批評家としてデビュー以降、『マルクスその可能性の中心』、

を庇護するパターンというのは、無数にあるんです。僕の『鳳仙花』▼46なんかは、それのバリエーションなんです。母と子というバリエーション。あるいは『宇津保物語』の仲忠と俊蔭の娘、私生児で子どもを産んでしまって、北山のうつほという木の祠（ほこら）で子どもを育て、琴を習うという芸能小説みたいなものです。

この母と子、典型的な子どもを庇護する母、これは健気（けなげ）で美しいんですね。美しいふうに物語が仕組んでいるんです。母と子、これが変形するんですね、もう少し。変形して弱い者になるんです、物語の中で。弱い者、弱者を庇護する女、これは恋人と言っても同じことで、小栗判官と照手姫▼47、そんなような形で変形していくんです。こんなのがいっぱいあるんです。こういうのを知らないで、今の現代作家でも、こういうことを知らないで書いている人が、いっぱいいるんです。こういう物語の枠組みがあって、枠組みが要求するものが「語り」です。これからはみ出るものを絶対許さない、そういう形なんです。これはたとえ僕であっても、こういう枠組みから許してもらえるかというと、ほとんど許されない、ここで悶えるしかない、そういう形なんです。

それが物語の生理でもあるわけです。それは、語り手そのものじゃない

『探究』、『トランスクリティーク』などの著書によって、現在まで一貫して日本の思想・哲学、マルクス主義批評、文芸批評などを牽引しつづける。中上健次との親交は、プライベートでもきわめて深く、フォークナーとの共通点を指摘するなど、作品上でも相互に強い影響を与えあった。中上の没後十五年を数える今日でも、かつて中上が牽引した「熊野大学」に、浅田彰、渡部直己、髙澤秀次らと参加を続けている。

▼50　物語のエイズ　『批評とポストモダン』、『坂口安吾と中上健次』に所収の批評より。初出は八三年の「群像」。

▼51　立松和平　一九四七—二〇一〇。小説家。代表作に

かもしれない。もっと邪悪な奴に対して、ある免疫ができてくるような、ここから菌が絶対出られないというか、そういうものかもしれない。最近エイズ[48]とか――柄谷行人[49]は僕を物語のエイズ[50]だと言うんだけど、これを突破できるということを彼は言ったんだけど、難しいですよ、突破するのは。

もう一つ、物語を書くとき、ある詐術がやっぱり要ると思うんですよ。これはフィクションというのとくっついてある。詐術というのはそれと同じことだと思うんです。例えば恋愛小説を書く、私小説を書くと、それをそのまま書くバカはいないんです、やっぱり。その辺りにかっこいいなと女の子が見ている、そういう男として私を作りあげて書くという、そういう装置が要るんです。それは非常に初歩なんだけど、例えば僕いつも思うんだけど、立松（和平）[51]君の小説はなかなか面白いんだけど、ほとんどバカ（笑）、バカ丸出しって感じで、あれはほとんど詐術がないんだよね。だから俺恥ずかしいよね。タイとかに行って戻ってきたらタイのことを、戻って来て奥さんが何とかかんとか言って、すぐセックスになる。ほんとにそうしたんだろうかと思って（笑）。そんなふうに展開していったんだ、つまり、寝屋の中も、閨房の中がそんなふうに展開したんじゃないかと、すごく恥ずかしいんだ。あいつの小説で一つつけ加えれば、全然違った形

『遠雷』、『光の雨』など。

▼52　二メートルの大男であると、体重が三百キロあったと　こうした「嘘」をめぐるくだりは、『枯木灘』三部作における、秋幸の実父・浜村龍造をめぐる描写や、あるいは路地のひとびとが交わす噂話などに範をとることができるだろう。

▼53　大江健三郎　一九三五年生。小説家。東京大学在学中に「奇妙な仕事」でデビュー、以降現在に至るまで、サルトルの実存主義やロシア・フォルマリズムなどの影響を受けつつ、独特の作風を構築し、現代日本文学を牽引。一九六一年の「セヴンティーン」では右翼団体から脅迫を受け、第二部「政治少年死

に見えてくると思うんです。だいたいあいつ身長百七十くらいだから、それより百八十はあるんだと、そういう設定でちょこっとヒールの高い靴を履かせて、目線が全然違ってくるはずです。そういうことをやると、空気がぜんぜん違って見えて、見えないものが見えたりするんです。こういうことをちょっと考えてもらいたいんです、小説の中で。

同時にフィクションの意味というのは、空想とか、想像力とか、虚構とか大きな言葉を与えられているけど、そんなことではなくて、つまり騙るということ、嘘つくということなんです、ちょっと嘘つけばいいんですよ。ところがちょっと嘘つくとき、詩とかじゃない、百枚の小説を書くとき、ちょっとの嘘がどんどん、ちょっとだったつもりがこんなになってしまう。もちろんこうなっているはずなんだけど、きちんとそれを、嘘をコントロールしていく。例えば今僕が本を書くと、これが二メートルの大男であると、体重が三百キロあったと考えてもらったらいいね、大きな嘘だけど。▼52 そう考えていくと、それが次々に展開していく動き、動きを追っていけばものすごく面白いことになる。喧嘩の強い奴がお前気に食わないなといってちょっと殴ったら、ピュウーッと飛んでいってしまうとか。それをちゃんと追えなかったら、ちょっとの嘘がいつまでたってもつまらないという、

す」は、二〇一八年『大江健三郎全小説3』に初めて収録された。芸術院や文化勲章など国家による芸術の囲い込みに反発するなど、独自の倫理観を貫いている。九四年、ノーベル文学賞を受賞。

▼54 ヤコブソン、ロマン 一八九六―一九八二。言語学者。モスクワに生まれ、ロシアの政変に際してチェコ・プラハに移動、構造主義音韻論を確立してプラハ学派の代表的存在となる。ナチス・ドイツのチェコ侵略にともなってデンマークに、さらにアメリカに移り、レヴィ＝ストロースらと出会った。主著に『一般言語学』、『言語とメタ言語』など。

▼55 駒田信二 一九一四―

そういう形になるだろう。ちゃんと追っていくだけの丁寧さと根気のよさみたいなもの、あるいは才能みたいなのがあったら相当違うと思う。そんなにフィクションとか大仰に考えなくても、それをフォローしていけばいいんです。

フィクションというのは、そんなおおごとではないということを言いたいんです。もう一つ特徴的なんだけど、大江健三郎▼53さんという人がいるでしょう。非常に面白くて、外国作家がいつも来るたびに、大江健三郎をバカにして帰るんだけど、ちょっと国辱的なんだけど（笑）。その大江さんという人が、あの人の小説の特徴なんだけど、いつも被害妄想みたいな、全然違う人なんです。面白い人なんですよ。ドイツで僕一度対談した後、ナイフとフォークを使って、エプロンみたいなのをして食事を始めたんです。ヤコブソン▼54がどうのこうの知りませんとか、カツレツみたいな料理だったんだけど、知りませんと言ったとたんに切ったのが滑って、カツレツがピューッと飛んで自分の服もべたべたになっちゃって、面白い人だなあ（笑）、全然暗さのない人だなあと。ところがあの人は、小説を書くと暗いんですね。自分は駄目だ、僕は駄目だと、必ずそういうのをやってるんです。特徴的な文章をいつも作ってしまう、それは多分、こういうのをず

九四。小説家・中国文学者。『水滸伝』の翻訳者として著名。

▼56 社会主義リアリズム　一九一七年のロシア革命と二二年のソビエト成立を経て、多くの芸術家およびそのパトロンだった貴族が亡命／処刑されたソビエト連邦では、新興芸術家たちが台頭、ロシア・アヴァンギャルドと呼ばれる前衛運動とプロレタリア文学運動などが興っていた。ソ連共産党中央委員会は労働者階級に社会主義を浸透させつつその文化的水準をひきあげる目的のもと、三二年に「社会主義リアリズム」の方針を提唱。社会主義革命の成立・発展を歴史的具体性とともに描くことや、労働者階級のいっそうの社会主義化を促

っとフォローしてのことだということで、皆さん許してやってください(笑)。

　文章っていうのはしようがないものじゃないかと思うんですよ。文章は小説が成り立つものとして、皆が信じているというのは、テーマと、単純に言えば何を書くかということと、どんなふうに書くかということ。プロットの立て方はどんなふうにしようかとか、プロットの中にテーマをどのくらい浸み込ませるかとか、そういうのが風景描写に使われていったり、会話に使われていったり、モノローグが使われたり、そんないろんな形で、もっと細かく言えば、もしここが朝日カルチャーの駒田信二▼55先生の教室なら、細かいことも言って、これは全部教えられることなんですよ。今まで日本で私小説の作家が、腕が上がったとか、なかなか新境地だというのは、それはそういう小説のスキルというか、小説のテクニックみたいなものをちゃんと明らかにしなかったからですよね。

　ほんとは十年とか二十年とか関係なしに、テキストを見てああこういうものだったのかと、その通りにやれば、ある程度はいける、そんなふうなものなんです。公開していいものなんです。公開してすぐにでも応用できるものなんです。日本の変なお家芸みたいなので隠してしまう所は、へん

すことなどを芸術の使命としたが、スターリン独裁による硬直化のもと、その規範が「形式においては民族的、内容においては社会主義的」なる交通標語さながらのスローガンに還元されてしまう事態に至っては、その功利性／合理性においてもはや「芸術」とはかけはなれた存在でしかなかった。

▼57　記号学　大きくは「記号論」とも呼ばれ、言語のみならず信号機や標識など、ある事象や指示を別の記号表現で代替する伝達表現一般（たとえば、「渡るな」という指示が、信号機の赤灯の点灯によって代替されるのはなぜか、ということ）についての思考。

▼58　『山の人生』　サンカや

だなあと。もし小説教室なら、僕がテーマ出して、皆さんに十枚書いてもらって、それを緻密に分析してとするのだったら、筋の展開の仕方とか、プロットをどんなふうに設定するとか、プロットをどんなふうに展開するかとか、そんなことまで喋れるんです。

　多分そういうことを言えるっていうのは、たとえばロシア形式主義というんですか、ああいうそれこそロシアの中で社会主義リアリズム▼56みたいなのにあきあきして、ロシアの小説の革新みたいなもの、小説を新しくしようと、小説とは何なのか、文学とは何なのか、そういうことを考え出した、ロシアの抑圧のもとでやり始めた連中が、コンピューターにインプットするような形でデータを作っていった、理論を構築していった。ああいうものの出現とか、記号学▼57の出現とか、そういう時代があるから、こういうことが言えるというのがあるんです。もちろん、記号学とかロシア形式主義だけでは面白くないんですね、あんまり。今日は主人公の問題に限って喋ってるんです。二つのことです。主人公はすでに決定されている。それと主人公をちょっと動かしてみたらという、そういう二つのヒントです。これで終わります。何か質問ありますか。

マタギといった山岳地帯で暮らす狩猟民や非・定住民の生活と、山を舞台にした民間伝承などをめぐって柳田国男が「朝日グラフ」に連載したエッセイ。

▼59『アブサロム、アブサロム！』フォークナーによる、ヨクナパトーファを舞台とした物語のひとつ。南北戦争のころ、町にどこからともなく現れた男トマス・サトペンが、野望とともに土地と妻を手に入れ築いたサトペン家の繁栄から崩壊までを描いた。

▼60『スター・ウォーズ』ジョージ・ルーカスとスティーヴン・スピルバーグによって製作されたSF大作映画。この講演時点では、ルーク・スカイウォーカーとその父、

質疑応答

Q：さっき、作者が傷を受けて表現するとおっしゃったんですが、柄谷行人さんなんかだったらそれはロマン主義だと言うと思うんですけど。

A：だから、傷という言葉の捉え方の問題でしょう。つまり傷というのを、近代の語感というもので考えるか、傷というのをとりあえず傷としか言いようのない、例えば柳田国男が『山の人生』▼58で、貧乏だから暮らしていけないからと、炭焼きの娘が親父に私を殺してくれと訴えるような、そういう行為みたいなもの。柳田は物深いって言うんだけど、物深いということでしか、人間の言葉が届かないようなものを傷っていうんなら、それはロマン主義でも何でもない。柄谷が僕の言ってることを、そういうふうに言うはずはないよ。

Q：前半に出てきた仮母の問題ですけど、一番最後に微妙な問題として、

ダース・ベイダー（アナキン・スカイウォーカー）の対峙を軸とした第一作『エピソード4　新たなる希望』から第三作『エピソード6　ジェダイの復讐』までが製作、公開されており、中上の言及もこの三作を対象としている。

▼61　言霊　かつて、言葉に宿ると信じられていた霊的な力。遠足中に「雨が降りそう」と口にすると実際に降ってくる、といったマーフィーの法則的なもの、あるいは結婚式の祝辞で「切れる」、「わかれる」などの言葉は使わない、といったかたちで現在も日本人の生活に残っているが、むろんそれらは本来因果関係のないものが事後的に結びつけられ、言葉に原因が見い

物語をさらに支配しているものは何か、というようなことをおっしゃいまして、これは、フォークナーなんかも同じようにネイチャーとか、神の問題というのを考えていますね。そうすると、フォークナーの『アブサロム、アブサロム！』[59]なんか読んでいてもそうなんですが、自然とか神とかの支配を語り手が分かっているわけですよね。そうすると、小説家というのは、自分で物語を作りだしながら、さらに何者かに語らされているというような、変な意識があるような気もするんですが、具体的に、あまり神秘主義的な話、インスピレーションが急に走ってということを聞きたいとも思わないんですが、それは実際どういうふうに、書いている中で捉えてらっしゃるのか。

A：実際物語を書き続けているとね、高揚するんですよ。神秘的に言うんじゃなくて、神とか、自然とか、あるいは非常に邪悪なもの、それも含めて僕は物語なんだと思うんだけど。物語をコントロールするのが物語だと。そういうとこまで『スター・ウォーズ』[60]というのはきているんだなという気はするんだけど。そういうことに気づくというのは、単純にいうと言葉なんだね、それを言霊（ことだま）[61]と言える。僕らも言霊と言うけど、それは方便みた

だされるにすぎない。だが、『古事記』における日本武尊（ヤマトタケルノミコト）の言挙げの逸話のように、言語化することで表面化する内的意志が災いを呼ぶなど、言表行為そのものが主体の行動になんらかの影響を及ぼすことを示してもおり、認識論的な整合性を有してもいる。

▼62 『水の女』一九七九年。作品社。

▼63 オートマティズム　自動筆記。アンドレ・ブルトンらシュルレアリストたちが考案した実験的手法のひとつ。半覚醒の状態や高速での筆記など、主体の意識の統御の及びきらない状態で記述を行うことで、偶然性と無意識とを作品に採り入れようとする方

いなもので、霊とくっついた言霊と言いやすいし、方便で言うんだけど、そうじゃなくて言葉の根本みたいなものを見つけたと思って追っていくと、それは跡形もないみたいなね。

どんなことかというと、僕はだいたい小説書くときに、百枚の小説があるでしょ、本当に全力疾走してやったら五日ちょっとで書けるんです。そこまで根詰めてやらなくても、例えば『水の女』▼62なんかをずっと書いていて、短篇小説だけど二日くらいで書いているんです。今やっている小説でも百枚を五日とかね。それはどんなことかと言うと、シュールレアリズムじゃなくてオートマティズム▼63みたいな、そういうことなんです。そうすると、小説の中でオートマティズムをやると同義反復みたいな、物語の中でオートマティズムをやろうとすると同義反復になるというか、つまりできないことを、オートマティズムじゃないんじゃないかというぐあいになるかもしれない。だけど物語の自転運動みたいな、あるものとあるものを押えると物語が自転運動すると。物語が革新するのにしても、これとこれを押さえればある一つの物語が先行して、それを壊していくのはこれだというのをすぐ見つけるんですね。それをこうやって摑まえて、ヨーイドンでやると、ほとんど考えないで、その速度でずっとやっていけるんですよ。

法。ブルトンの「白髪の拳銃」などがある。

▼64 ヨシ兄　『地の果て 至上の時』の登場人物のひとり。浜村龍造らの地上げによって空き地となった路地の一角に、浮浪者たちとともにテントを張って居座っている。出所後、龍造のもとで山仕事をはじめた秋幸の、みずからを苛む意識の投影先とも言える人物。

▼65 さと子　秋幸の腹違いの妹。『岬』、『枯木灘』で秋幸と出会い体の交わりを持った彼女は、『地の果て 至上の時』では「水の行」をする新興宗教に傾倒している。

▼66 水の行　路地の失われたあと、新宮のひとびとのあいだに広まった民間宗教。駅裏の居酒屋の女主人「モン」

そうしていったときに、身体がついていかないことあるでしょう。ほとんど寝ないでやっていると、書いている瞬間に眠りが入って来るんですね。書いていて夢みてるんですが、はっと起きると手は動いているんです。嘘みたいな話だけど本当なんです。瞬間の夢の分だけ何書いたか分かんないんです。しょっちゅうそういうことあるんですね。わけ分からなくて、突然変なこと書き始めて、また戻るんです。そういうのを渡すと、編集者が何ですかこれと、一生懸命意味あるのかと考えるんだけど皆目（笑）、常時そういう状態です。

『地の果て 至上の時』でも、考えていたのは秋幸が刑務所から出てくると。刑務所から出てきて、全部一変した風景に出くわすと、それを考えてたんですね。そこだけなんです。ヨシ兄[64]なんて考えてなかったんです。自分がジンギスカンの末裔だと思っている、シャブ中の男が出てくるんですがね。それがあの小説の中に出てくるとは思わなかったんです。ところが突然出てきて、最初僕が考えていたことを全部壊して動いていくんですよね。それと、「さと子」[65]という人物と、水の行[66]という、あの二つは全く考えていなかったことなんです。それが、あの世界を全部組み替えて次々動いていくという。で、そのことが僕面白いから、ああこれでいこうとなっ

や、秋幸の妹「さと子」らが信心している。新宮市内で、一九七五年八月、大量の水を飲んで荒行を続ける一家四人が、長女を死にいたらしめた事件が基になっている。

▼67　反物語論　『物語批判序説』、『反―日本語論』をはじめ、私たちをとりまく説話論的な磁場について考察し、その意識化と、表層への着目による抵抗を促した一連の批評のこと。ロラン・バルトやジュリア・クリステヴァらのフランス構造主義の影響も強く、またデビューしたてだった渡部直己、絓秀実らの当時の批評にもそうした痕跡が見られる。

▼68　絓秀実　一九四九年生。文芸批評家。一九八一年、

たんです。それをずっと追っていくという、そういう形です。そうすると、もう物語が自分を書かしめているとしか言いようがないよね。あるいは、物語の中に入っている反物語も物語であるという。するとその反物語も簡単に物語の中に包摂されるんだけど、それは物語が書かせているとしか言いようがない。で、今振りまかれている反物語論[▼67]ってあるでしょう。例えば絓秀実[▼68]とか渡部直己[▼69]とか、あるいは蓮實（重彥）さんなんかの世界だと思ってもいいんだけど、つまりそれは、ある意味で反物語を物語的に信じ過ぎてるんですよね。反物語に物語を言うことによって、いわばロマン主義に陥っているとしか言いようがない。本当は反物語もとっくに物語に組み込んじゃっている、そんな怖いものなんです。

例えば、核兵器が存在すると核の傘の下に文学は可能か[▼70]と言っている愚鈍な作家の群がいたけど、大体そこに集まったのは干上がってしまったような三流作家で、僕も何度かこの人と対談しないかと言われ、冗談じゃない、そんな対談して何が面白いんだと言って断ったんです。核兵器というものを、やっぱりロマン的に考えているよね。大江健三郎なんか典型的だけど、あの人はすぐ羊のように、あるいはたぬきのように死んだ真似をしたがるんですよ。腹出してひっくり返ればいいと思っている。それが自分

『花田清輝――砂のペルソナ』でデビュー。近年は、『革命的な、あまりに革命的な』をはじめ日本の六八年をめぐる著書が多い。

▼69 渡部直己 一九五二年生。文芸批評家。一九八三年、『幻影の杼機』でデビュー。九〇年代に入り、近代日本の差別構造及び天皇制が、文学に与えた影響について考察した『日本近代文学と〈差別〉』、『中上健次論』などを著す。

▼70 核の傘の下に文学は可能か アメリカ・レーガン政権の発足以降の軍拡に危機感を感じ、一九八一年に小田実、中野孝次らによって提唱された「核戦争の危機を訴える文学者の声明」のこと。ほかに井伏鱒二、井上ひさし、小田

の文学の姿だと思ってるんですが、まあロマン主義といえば滑稽だけど、そういうことをすぐしたがる。僕は、そういうことはちょっとおかしいと思うんだよね。核兵器って見たこともないけど、作れるはずですよ。それをロマン的に考えるというのは、ある意味で核兵器の延命策だよね。あるいは、今のアメリカとソビエトの二大帝国の、世界分割のイデオロギーの延命策かもしれないよね。そういうことで物語ということを考えれば、どんどん変化していくと思うんです。今日はそういうところまで物語の話をすると、ちょっと皆さん混乱しちゃうから、入門篇として、物語とはそういう仮母とかそういうものがあるということを考えていただければいいなと思います。

Q：話を戻すみたいで悪いんですが、小さい者が流れていって、それがもとに戻ってまた悪病を蔓延させるという話をしてもらったんですが、折口信夫なんかは、小さい者が流れていくというのは押さえているけれども、後者のそれが戻っていって悪病が蔓延するということは押さえていない、物語というのは両方とも備えているものだとというお考えですよね。

切秀雄、埴谷雄高、本田秋五、藤枝静男、安岡章太郎、吉行淳之介、大江健三郎ら三十六人が呼びかけている。ちなみに女性作家は、林京子、住井すゑら四人しかいない。

▼71　ニューメディア　八〇年代なかばに盛り上がった、双方向的な媒体とその期待。従来の新聞、書籍、ラジオといったメディアではなく、当時あらわれたてだったケーブルテレビやキャプテン・システム（文字放送）など、受信者側から一定の情報やリクエストを送ることのできるメディアを指す。思想的には当時紹介されはじめていたマクルーハンのメディア論の影響が窺われ、感覚としては今日のWEB2.0などに近い。

Ａ：そうでもないよ。両方備えていなくても物語として成立するし、どこを切っても物語であるという、そういう怖いところがある。物語というのはつまり、エイズなんだよ。ＳＦ的に考えれば、宇宙から与えられた一番恐ろしい集合なんじゃないか。僕らニューメディア[71]とか、ニューウェーブ[72]とかの時代に生きていて、前回も喋ったように、基本的にそれは道具なんだよね。それは森から人間が、棍棒持って出てきたと。森から出てきて類人猿から人間になってきた、われわれはそこからぜんぜん離れてないと思う、ひとつも動いてないと思う。コンピューターでどんなふうになろうと、それは動かない。ところが物語という奴だけは、そこから切り離されて生きるという、そんな怖い、宇宙から渡来した、最初に与えられて、最後に与えられたもんなんだと、そういう気がする。もちろん、物語や言葉とどう関わっていくかは、われわれ文字の時代に、文字を書く、印刷するという時代に生きているとね、これから文字とか印刷なんかなくなっていくかもしれない、そんなことはあるけど、物語というのはずっといろんな形で延命し生き続けるということで、今回はこれで終わります。

（一九八四年五月二十一日、東京堂書店神田本店六階文化サロン）

▼72　ニューウェーブ　直訳すれば「新しい波」であるとおり、各ジャンルで登場する新奇なムーヴメント一般を指すが、より狭義には、映画・音楽・ＳＦ・コミックそれぞれに戦後訪れた新しい流れのこと。なかでも八〇年代日本では、テクノに代表される電子的な音楽や、スペキュラティヴ・フィクションの創始者Ｊ・Ｇ・バラードおよびそれに影響された山野浩一らのＳＦ小説、さらには大友克洋らのコミックなどの総称として、「新人類」的カルチャーの呼び水となった。

第三回　構造について

日本的なものの構造

僕、今日遅れたのは、寝てたんですよ。土曜日の夜から原稿書き始めて、日曜の朝一番で原稿を出して、その足で角川春樹[▼1]さんと一緒に神社を見に軽井沢に行って、昨日遅くまで飲んで、朝起きたら六時くらいで寝不足で……ちょっと待って下さい。

今日、僕が話そうと思ったのは、構造についてなんです。話が下手な人間が、メモも何にも持たないで電話で慌てて飛び出してきたんです。まず

▼1　角川春樹　一九四二年生。プロデューサー、俳人。出版、映画、俳句の各ジャンルで型破りな活動を行う。折口信夫の弟子であった父・源義の影響か、神道への思い入れが深く、東映の大泉撮影所の屋上にも角川大明神なる社を建立。中上との出会いは、一九八〇年代に山本健吉を通じて。『俳句の時代』（八五年）は、遠野・熊野・吉野を

構造ってことを話しながら、構造の先にあるものが、ひょっとして物語なんだと、そういう物語論を……。

もう少し別な見方で、角川春樹さん所に行きまして、今、角川春樹という人物がものすごく面白いんです。彼は俳人で、同時に宗教活動みたいなものをやり初めて、彼を生きたテクストみたいにして、もの考えるということ今やってるんですね。軽井沢で彼の、もともとあった角川（書店）の社員寮の中に神社を作って、その神社を見に行って、集中的に考えたのは神道[▼2]ということと、それから建築ということなんですよね。神社の建物って何なんだろう。建築って何なのかとそういうこと考えたんです。それが構造という話と結びついているんです。二つともそうなんです。神道は、なぜ構造とくっつくのか不思議に思われるかもしれませんが。神道というのは、構造ってものがあまりに人を窒息させるような、そういうものの考え方で成り立ってしまうそれを、構造というものを、突き動かす向こうに物語というものが見える。その物語というのは、神道というのを、構造の中にぶつけるときに物語が生まれる。そういう化学変化みたいな、そういう話です。

経巡る二人の対談集。

▼2　神道　ひとくちに「神道」といっても、いわゆる神社神道や皇室神道ほか多様な形態があるが、政治的側面や宗教法人的側面をとりあえず措くなら、日本の民間信仰とでも呼ぶべきその総体は、「八百万の神々」という言葉に示されるとおりのアミニズム的多神教であり、キリスト教やユダヤ教といった外来宗教をもそのなかにとりこむ、キマイラ的なものであろう。とすれば、越境と非・構造化、ないしは共同体の物語（私生児の物語）といった言葉を多発する中上が、そうしたキマイラ的側面に惹きつけられるのは、理解しやすいことではある。その意味で、この時期

僕自身が、人前で喋るのは憚られるんだけど、神のことだとか、霊のことだとか、あるいは天皇のことだとか、いろいろ考えているんですね。考えているし、ちょうどそのときに、角川さんが見せてくれた神社の奥の院、御神体になっている、そういうところ見せてもらった。一種僕自身のシャーマンとしての機能が、最大限に発揮できる状態でものが見えてくるんです。そういう霊に関与するもの、僕がよく言っているバイブレーション、そういうのがあるんです。

こんなふうに考えるんです。検証抜きで言うと、ドゥルーズという人のリゾームってことを、浅田彰君がどんなふうに言っているかというと、『ちびくろサンボ』▼3で、ある南の島で、椰子（やし）の木があって、椰子の木の傍で人間がトラに追っかけられて木に登っていった。するとトラが行き場がなくてぐるぐる回って、回っていると溶けてバターになっちゃった、そういうのがリゾームだと言うんです、そんなバカなことあるものか。もっとドゥルーズの場合なら、戦争なら戦争、もっと大きなことを踏まえて言っている。それを浅田彰という人間は、ものを全部矮小化して、コップの中の話として考えてしまう。そんなふうな状態が彼の紹介する話の中に出て

の中上健次の発言を、現在の笙野頼子のそれと並べてみることも興味深い。

▼3 『ちびくろサンボ』もとはインド駐留の軍医夫人、ヘレン・バナマンによる手書きの絵本。十九世紀末にイギリスで出版され、日本でも一九五三年に岩波書店から刊行、ロングセラーとなった。中上が言及する、トラがぐるぐる回ってバターになってしまう結末は、それを使って焼いたホットケーキの挿絵によって、多くの子供たちに想像的味覚・嗅覚とともに刻み込まれている（小麦粉、卵、シロップといったほかの材料についての記述はじつは皆無なのだが）。八〇年代後半以降、差別表現であるという抗議によ

くるんです。浅田彰のそういう話の、リゾームの先の方に霊なら霊が、神なら神が存在するんだと、僕は思うんです。あるいはもちろん前にあっても、それがリゾーム状態になって、霊によってリゾームが飲み込まれていって別なものに変態していく。そういう形というのが霊の状態だと思います。

そういうことと、ドゥルーズなんかが言っている向こう側に、今、われわれがよく知っているような、当たり前じゃないかというようなことがあるんです。今日、ニュージャーナリズム▼4とか、ニューメディアで浅田君とか中沢（新一）君とかがもて囃されてるんですけど、あんなことはどうってことないんです。浅田君の本はチャート式で、チャート式っていうのは、本物がないわけなんです。参考書形式、永久に来ない試験勉強を、あいつに会うとさせられちゃう気がする。あんな本に書いている類のものは、日本にはごろごろ転がっている。そのことを、まず皆さん方、分かってもらいたい。それが日本の中で言われている、神道の中にたくさん含まれている。

例えば神道で、榊を、玉串を持ったりしますね。そういうあれだって、植物は何なのかと考えまして、植物が建築と考えると、われわれはニュー

って一時期絶版となる。解決はしていないもののさまざまな議論を経て〇五年に岩波版が別出版社から復刊されている。

▼4　ニュージャーナリズム　従来の、事実伝達型のジャーナリズムに対し、そこに背景となる物語や登場人物の心象などを書き込んで物語化するタイプの報道様態。立花隆による決定的影響を与えたといわれるデイヴィッド・ハルバースタム『ベスト&ブライテスト』や『汝の父を敬え』のゲイ・タリーズといったアメリカのノンフィクション・ライター系の作風を指す。なお、トルーマン・カポーティの『冷血』が、アメリカのニュージャーナリズムに投げかけ

メディアとか、ニュージャーナリズムとか、ニューアカデミズム▼5とかいう連中が推奨して回っている本の中に書かれている建築的な意思、建築的なものの考え方、あるいは脱建築、つまり言葉がロゴス中心主義みたいな形になっているから、それをいなすために、デリダ▼6なんかだったら脱構築、ディコンストラクションと言う。じゃあ、植物とビルディングを考えると、どっちが進んでいるかというと、植物のほうがはるかに進んでいるんです、それを建築的に考えてもね。皆さんそれはお分かりだと思いますが、例えば地震があったとします。この五階建ての建物は震度六くらいで潰れるでしょうね。ところが、一本の草が震度六で倒れますか、倒れないですね。つまり非常に柔らかい構造になっています。だからそういう物の考え方を、われわれはずっとしてきたんですよ。植物を、すぐ傍にあるものを、花を見て、例えば桜なら桜を見て、草なら草を生け花として取ってきて、あるものをちぎって挿したり、それを建築的に捉えていって、それを建築とスライドさせて考えると、はるかに日本のほうが、その生け花が持ってる物の考え方、動き、花を剣山に挿して、挿す感性、そのこと自体のほうがはるかに大きな建築の意思を持っている、建築的である。

今、僕が言おうとしていることは、回教でもそうだし、あるいはキリス

た問題は、今日でも議論の対象となっている。

▼5　ニューアカデミズム　一九八〇年代初頭から、日本で生じた人文・社会科学系の知的ムーブメントの総称。フランスのポスト構造主義に影響された浅田彰、中沢新一をはじめ、栗本慎一郎、岩井克人ら当時の若手・中堅知識人とその著作を推進力に、企業の文化戦略とも響きあって「知」を消費の対象としていった、典型的に「八〇年代的」な現象。浅田の『構造と力』を持ってカフェ・バーやプール・バーに行くとモテた、という都市伝説まで残っている。主として『パイディア』、『現代思想』、『GS』といった雑誌文化に牽引された側面

ト教もそうだけど、そういう異教的なもの、一神教的なもの、唯一神的なもの、そういうものの考え方というのと、多神的であるものの考え方、われわれが絶えず目にしている建築物との違い、われわれが目にしている建築の構造との違い、それがいくら百五十冊、僕も推薦しろというから百五十冊▼7もあげたんだけど——本当はそういうものじゃなくて、自分のすぐ傍にあるものの方が、はるかに知の最前線ですよ。

一つ違う形でわれわれは自分の周りを見ることによって、いろんな発見をするんだよね。そういう構造は、どうしても日本の中にあってしまう。それと同時に、その物の考え方、とりあえず構造という面でいうと、結局構造というものが日本だけかというと、もちろん台湾にもあるし、中国にもあるし、韓国にも、北朝鮮にもあるし、あるいはインドとか、そういうところにもある。ただ日本に入ってきて、日本的なものというのは、みな朝鮮的なのだと、朝鮮によって作られたものだと。その考えの中にあるのは、文字が渡来人によって書かれた、広められた。文字を持っている状態というのは、ほとんどオフィシャルな形だと。オフィシャルな形というのは、権力と癒着していた。それが渡来人たちによって占められていた。そういう名残りが強い日本文化というのは、朝鮮的なもの、つまり渡来人的

も強い。

▼6 デリダ、ジャック　一九三〇―二〇〇四。フランスの哲学者。プラトン以来の西洋哲学が持つ、また潜在的には第二次大戦以降の米ソ冷戦構造とも通底する思考の構造を、パロール／エクリチュールという二項対立を批判することで脱構築（ディコンストラクト）し、グラマトロジー（文体学）の観点や散種／差延といった概念によってその多様化とずれや拡散を試みた。浅田彰、東浩紀といった一九八〇―九〇年代の若手思想家に強い影響を与えている。

▼7 百五十冊　この連続講座と同時期に開催された「エスパース・デポック図書館・中上健次氏の本棚——物語／

なものとすべきだと。

僕はそうじゃなくて、日本の中に入って、一種混血みたいなものが起こった。混血の磁場みたいなものが、日本というどうしようもないものじゃないか。日本と言って、ジャパネスクみたいな、ああいう形で言うわけじゃなくて、せりあがってきた現代の課題として、現代文学の課題として、一番新しくせりあがってきたのが、日本というものであったり、あるいは神道というものであったり、天皇というものであったりするんじゃないか、という自分の考えを話しているんですね。そのことは、われわれが物語を考える、あるいは小説を書いている上で、とっても大事なポイントになっていることを、分かっていただきたいんです。

絵巻物と物語の構造

つまり言葉を書く、イコール言の葉という形で、単純な言葉信仰みたいな形はとりたくないんですけどね。ただ日本語を使うのに、そういう運動が絶えず起こってしまう。それはソシュール▼8に始まっている言語学のいか

反物語をめぐる150冊」のためのブック・リストを指す。本書209ページ参照。

▼8　ソシュール、フェルディナン・ド　一八五七—一九一三。スイスの言語哲学者。没後まとめられた講義録『一般言語学講義』によって、以降の言語学および現代思想全般に多大な影響を与えた。認識の対象があらかじめ存在してそれに名前がつく（言語＝名称目録）のではなく、名前の付与とともに認識の対象がたちあがる、と捉え、結果として言語は名称ではなくそれが指し示す「差異」の体系そのものである、とする。

▼9　プラハ学派　ソシュールによるラング（社会的・体系的な言語）とパロール（個

なるレベルとも絶えず対応できる、拮抗できると思うんですね。だから、折口信夫の言語学というのは、ソシュールを読んでいるレベル、あるいはチェコのプラハ学派▼9を読んでいるレベルでみると、何も言ってないじゃないかとなるんだけど、それは目の位置みたいなものだけで言っているに過ぎないんです。折口の言語学というのは、ほとんどもともと語源論▼10みたいなところがあって、語源を探していって、さらにそれがどうなっているかということなんですね。その動きみたいなもの、絶えず、意味論▼11だとか、音素論▼12の問題だとか、いろんな言語学の中にあるプラハ学派なんかがやってきたようなことと対応するんです。あるいは拮抗するんです。そういうことを、皆さんきちんと分かって欲しいです。何か今日は、非常に右翼チックになってきたなあ（笑）。

それでそういうことが、構造という問題では起こる。もう少し、今の話を自分で整理すると、構造という言葉自体が、われわれが使う言葉と、外国から渡来した構造という言葉とでは違うだろう。同じ意味を指し示しても、つまりむこうがネガだったら、こっちはポジであると、そんな形を持つだろうということなんです。われわれだってビルは建てられる、われわれだって家を作れるし、われわれだって機械でもなんでも作れる。ただそ

人的に実践される言語）の分類を受け継ぐかたちで、一九二六年にロマン・ヤコブソンらによって創立されたプラハ言語サークルとその活動のこと。主として構造主義、機能主義的な言語観を有し、音韻論などを重視した。

▼10 **語源論**　ある言葉について考えるとき、その語源とそこからどう変化してきたかに意味を求める考え方。

▼11 **意味論**　言語を含む「記号」とそれを認識する主体の行為との関係性、あるいはその逆に、主体の認識したものが記号化されるに至る関係性を問う学問。

▼12 **音素論**　音声言語のうち、それぞれの語を構成する音の最小単位（音素）の定義

ういうことをする認識の範囲みたいなもの、そういうことをしていくわれわれのよってきたるものというのはほとんど違う。

例えばそれは、ミシェル・フーコー[13]が「狂気」を発見したその過程と一緒なんです。あの「狂気」というのは、われわれの「狂気」なのかというと、違うと思うんです。これは考えてみれば「狂気」という発見なんですよ。発見されたものである。韓国を例として挙げますと、韓国でムーダン[14]というのがあるんですよ。ムーダンというのは、巫女さんなんです。非常に韓国はシャーマニズムの発達した国だから、いつでも自分の家に、例えばお父さんが死んで十年とかという時に、巫女さんを呼んでそうやってお祓いみたいな、祭りみたいなのをするんです。ごく自然に巫女と一緒に暮らしている。その巫女さんたちは、なぜ敏感なのか、巫女になったのか考えてみると、これはほとんど「狂気」の症例なんですね。それはユング[15]が出しても、誰が出しても全く同じ症例なんですね、それが向こうだと巫女になり、こっちだと収容されてしまう。「狂気」というのは、そういうことだと考えていただきたい。

構造ってこともそうなんですね。構造として発見されたんだけど、日本

やその配列について研究する学問。

▼13 フーコー、ミシェル 一九二六―八四。フランスの哲学者。初期の『狂気の歴史』においては、かつては神的な存在であったはずの狂人が十七世紀以降隔離の対象とされた理由をさぐり、『言葉と物』では主体の認識に及ぼす言説の影響を、さらに『知の考古学』では知識のアーカイヴが用いられる場合の構造的恣意について考察するなど、徹底して「思考」の構造と場について思考した。ここで言及されているのは前述『狂気の歴史』においてフーコーが、狂気はあくまで社会的に産みだされたものである旨を論じたことを指している。

ではそんな言葉を与えられなかった。それが霊であったり、魂であったり、言霊（ことだま）であったり、僕が言っている歌であったり、あるいは僕がこれから言おうとしている物語であったりする。僕が言いたいのは、構造の根づまり状態になった構造、さらにそれを突き動かして、奥にあるものっていうのが、われわれが今考えているようなこと、われわれが自然に身につけちゃっていることとなんじゃないかと。

具体的に、じゃあどんなふうにわれわれは、その構造を捉えているか。同時にそれは日本の中にあるシンボルの問題とか、モードの問題とか、今僕は、改めて言葉を与える形で言うんですよ。シンボルだとか、モードだとか、コードだとか、いろんな言葉を費やして、日本人は身の回りを飾るときに、ファッションのときはどんなふうにしたか、あるいはご飯食べるとき、あるいは寝るときどんなふうにしたのか。そういうことを、いろんな角度で照明を当てていくっていう。

その中で、今日最初から話しているのは、物語、文学ですね。文学で、どんなふうに構造を考えていくかというと、皆さん、小説とか、現在の書物というのは、こんな形ですね。これは偉い中上さんの『枯木灘』だ（笑）、つまり日本語の文字だったら、向かって右から、右開けで、こう開

▼14　ムーダン　朝鮮半島の巫堂（巫女）。イタコやユタと同様、降霊による預言や祈禱を行う。鐘や太鼓による歌舞音曲を伴うのが特徴で、それらは霊を呼び出しまた慰めるために行われるとする。

▼15　ユング、カール・グスタフ　一八七五―一九六一。スイスの精神医学、心理学者。チューリヒ大学の療養所助手を経て講師であった一九〇七年にフロイトと出会い、その理論に共鳴して研究所を設立するも、無意識を個人的な抑圧体験の結果と捉えるフロイトと対立、より広範な集合的無意識や共時性（シンクロニシティー）について考察した。主には夢に投影される元型（＝集合的無意識を想起させ

くというやり方です。これは外国から渡来したものの日本化なんです。英語の方はこっちから、左から右へ、日本語は右から左なんです。横書きする時、昔はこうしたんです、こう書いたんです。右から左が原則です。最近は、英文と共通の文字がいっぱい出てきたりするから、左書きに皆やり始めたんです、そうした方が便利だから。アラビア文字なんかは、おしまいから読むんです。基本的なものの考え方、われわれ文字を書く、文字を書くことによって影響を受ける構造ってあるんですね。

　われわれは、たぶん右上から右下に向かってやって、その次の行は、こういう右から左へ、そういう向きがわれわれの物語の構造にある。最近のことじゃなくて、もっと前の時代で、例えば本にはいろいろ種類があったんですね。和綴じの本というのは、ほとんどこういう形に近いですけどね。今の書物に近い形で、それが今の書物はハードカバーかけて、工場で近代産業革命以降の過程を通っているからね。日本の場合、和綴じの他に、例えば観音開き▼16の本があります。お経の本はこうやって、ぱらぱらと繰っていって読むんだけど、そういう本があるんです。もう一つ、日本ではもっと典型的な、日本文学、日本の中の物語の発達、日本型の物語を作る上で非常に重要な役割を果たしたのが絵巻物です。巻物も観音開きとよく似て

る引金）を解釈することで臨床的な治療を試みるが、集合的無意識自体が個人ではなく集団や民族に起因すると考える結果、影響を受けた後進たちもふくめてどこか宗教的な性質を帯びるようになってゆく。

▼16 **観音開き**　正確には蛇腹折りのことを指している様子。観音開きの本というのも他にある（「文藝春秋」「群像」などの総合雑誌や文芸雑誌の目次部分は観音開き）。

▼17 **序破急**　狭くは世阿弥によって考案された能楽の構成、広くは浄瑠璃や音楽、さらには小説にまで用いられる構造のひとつ。ある一定の速度で物語が始まり、いったん

る形だけど、こうやって読んでいるんですね。

物語でいくつか言い方があって、起承転結って言葉、序破急[17]、そういう言い方があるんです。そういう形が、これは物語の構造というより、物語の運動だと思ったらいい。ドゥルーズなんかが言ってる物語の速度の問題だということを考えていただきたい。起承転結、序破急、これは構造ではないんです。これ自体は運動で、運動の中に構造が出てくる、そういう形だと思うんです。こういう絵巻物の影響というのはどんなふうに出てきたかというと、日本の中の小説の、展開の仕方に相当影響を与えています。日本の小説はゆったり流れています。あるものすごい劇的な動きをするんじゃなくて、基本的にゆっくりずっと流れていって、ある人物がずっと変化して流れていくという状態なんです。物語の中では変化がほとんどない。西洋型の十九世紀の小説は典型的なんだけど、冒頭部で始まったAという人物に、付帯する条件である例えばX、Y、Zは、必ず結末においてはX′、Y′、Z′と変化してないとだめなんです。外国の小説なんかでは。

日本の小説は変化が非常に緩やかで、むしろ『源氏物語』[18]を考えていただきたいんだけど、『源氏物語』では、付帯する条件X、Y、Zじゃなくて、周りがいろんな形に、周りの風景とか、周りの関係とか、いろんな形

転調したあげく、加速しつつクライマックスを迎える、といった構成のこと。

▼18 『源氏物語』 紫式部によって書かれたとされる、長篇の王朝文学。桐壺帝の第二皇子でありつつ皇位継承できずに臣下として源氏の姓を名乗った光源氏が、さまざまな運命に翻弄されつつ浮名を流す物語。叛意を疑われて須磨に下ったり、ふたたび京に戻って高位にのぼりつめたりもするが、それらは基本的にみずからの意志ではなく、周囲の権勢の変化やバランスに動かされており、多様な女性遍歴にしても、彼の目の前にさまざまな女が現れたことに動かされているのだ——と言っては擁護しすぎか。

が全部変わって、最後までいくというそういう形なんです。ということは、X、Y、Zがこっちで全然違うものになって変化するとかいうんだったら、絵巻物はできない、書けない。例えば『源氏物語』の光源氏というのは、一定の形で動いているという約束事が要るんです。そのように周りが変化するんです。

だから長篇小説を書く上で、こういうことが典型的に出ているのは円地（文子）[19]さんなんです。円地さんは、情景を絶えず動かすんです。最初に言ったけど、ある人物が行き詰ってしまうとどうするか。これを動かせ、外に出せと言いましてね、外に出すということは、この日本の物語の仕組みはそこから出てきている。これは基本的には何も変わらないんだけど、ある情景を変えることによって、次々と変ったように見える。例えば小説が書きづらいなと思った時でも、本当に生き生き動いてくる。三人くらい寝ているんじゃない。非常に大胆な奴らだなあ（笑）。

この物語もそうだし、この物語もそうなんだけど、基本的に物語は右から左に向かって流れる、動いていく、そう考えるんだね。さらに今の現代小説でそれを応用すると、擬古典的な、古典めいたつくりがしっかりした

▼19　円地文子　一九〇五―八六。小説家。戦前は戯曲で活躍し、次第に小説に移って『女坂』、『菊慈童』などの作品を手がける。中上が「物語の系譜」でとりあげた唯一の女性。

ものができる。だけど、さらにやっぱり手は加えたいと、だけどそれ自体が完全に持っているんだね、やっぱり。高橋源一郎[▼20]なんか前衛めいたことをやってるけど、いっこうに前衛じゃない。一つの物語を考えてみると、こういう絵巻物を考えると、絵巻物って大胆なんだよね、こうやって巻いているでしょう。こうやって繋げることができるんだよ、いろんな形で自由自在に。分かるかな、絵巻物とかは、あの構造はある所から飛ばして読むこともできる。観音開きもそうだし、絵巻物もそうなんだけど、こういう具合に、巻いている部分と巻いている部分を飛ばして、繋げる[▼21]ことできるんです。

Q：それだったら冊子本の方が便利なんじゃ？

そう、冊子本の方が便利だよ。今基本的なこと言ってるんだけど、難しいな。基本的にわれわれの物語として省略とかジャンピング、そういう形で物語を切断するような装置を含む物語を読んでいたということです。こんなことが、物語を新しくしようとする時にやったら、相当面白いんじゃないか。一つ考えてみてほしいのは、そういうことなんだよね。冊子本で

▼20　高橋源一郎　一九五一年生。小説家、詩人。八一年に『さようなら、ギャングたち』でデビュー、散文詩を思わせる作風で新進の前衛作家と期待されるとともに、アヴァン・ポップの旗手としても扱われた。ここで中上は、その作風が小説を読む時間軸に対しては従順であることを批判しているように見えるが、高橋ののちの作品には、必ずしも読み手が物語の時間進行に従順でなく、外在する歴史とのあいだを行き戻りするような構造が施されている、ともいえる。

▼21　巻いている部分と巻いている部分を飛ばして、繋げる　蛇腹折りの本であるとか複数の絵巻物を自在に組み合

は、制度みたいな形で綴じられて、もちろん外せばいいんだけど、一種制度みたいな形で本があると。本があることによって、われわれの自由に考えるということが閉ざされてしまった、ということが文学という状態に起こっているということなんですね。われわれ、小説を書くときというのは、われわれの中の物語ということを考えると、物語の構造って考えると、そんなことがわれわれの中に刷り込まれているんじゃないかという気がするんです。ちょっとまた話が詰まりそうだから休憩にします。

長篇小説と短篇小説

（休憩後）さっきの観音開きの本とか、絵巻物とか、そういう日本独自のもの、あるいはアジア独自のものが日本型物語に非常に影響を与えた。さらにそういうものは、現代作家の冊子本の中で生まれてきた。僕なんかもそうだけど、冊子本を読んできた人間は、絵巻物なんてことさら見なかった、見られない。あるいは、お経本とか思い出せない。そういう状態なんだけど、冊子本を読んできた人間の、現代作家の目で、物語の構造として

わせるといったこのあたりのイメージは、ミシェル・ビュトールが主に一九七〇年代以降手がけている一連の「手書き本」とも共通する。ビュトールの「手書き本」については、八九年五月に西武アート・フォーラムで行われた展示「100の本、100の美術空間展」の図録『ミシェル・ビュトールと画家たち』に詳しい。

発見することが可能になってきた。それが、さっき言ったように、一つのポイントとして言いたいのは、物語の新しい発見、そういうことだけなんですね。

物語というのは、物語って何なのか、文学とどう物語は違うのか、物語というものと伝説とどう違うのか。あるいは歴史とどう違うのか、いろんな検証ができるんですね、本当は。次々スライドさせて物語論と『資本論』[22]、物語論と『ドイツ・イデオロギー』[23]とか、そういう形で、僕に能力があればね。そんな能力持っていないし、持っていたとしてもそんなことは全然信用しない、そういうことはやらない。そういうことは柄谷（行人）に任す。

あの人とは、確か二十一、二で初めて会ったんです。会って、この間まで何年間もあいつと話していて、石原慎太郎[24]が柄谷行人に会いたいというので、橋渡ししたんですね。柄谷行人は、石原慎太郎の小説がものすごく良いと、それまで何にも言ってなかったんだけど、小説のファンだったたと。俺は昔バスケット部にいた、それは石原慎太郎の影響だとか言い始めて（笑）。ほとんど僕に関係ない。石原慎太郎は、あの人は江藤淳[25]に無意識過剰と言われた人なんですね。あの人も面白いんです。一緒に喋っていると、

▼22 『資本論』　カール・マルクスの著した古典派経済学批判であり資本主義研究。全三部から成る。ヘーゲルの弁証法を唯物論的に継承、資本主義的生産様式、剰余価値の生成過程を原理的に解明した。原題は『資本論経済学批判』。

▼23 『ドイツ・イデオロギー』『資本論』に先立つこと二十年、若きマルクスとエンゲルスによって著されたイデオロギー批判論。バウアー、フォイエルバッハ、シュティルナーへの論駁を通じ、ヘーゲル主義的な「観念論」の転倒を企て、以て「唯物論」の旗幟を鮮明にした。「交通」と「生産力」の観点から、「共産主義」の世界史的な実存を論じたところにその特徴

僕が一言二言言う前に、あの人は千語くらい喋ってるんです。それが面白いから、ああそう、ああそうと聞いているんだけど、その慎太郎を前にして、慎太郎が唖然とするぐらい喋りまくって、喋っているとあいつもの食べないんです。前にあるものが分かんなくなっちゃうんですね。ビールだろうと何だろうと、あるもの全部飲んじゃう。ビール、ワイン、日本酒飲んで、一時間後ぐらいにはぐでんぐでんになっちゃって、しばらく俺の顔見れないはずだよ彼奴(きやつ)は。そういう人だけど、マルクス[26]だとか貨幣だとか面倒くさいことをやる人なんですね。そういう頭の人に私は物語論と資本論とか、スライドするのは任せるんです。

そういうところから考えていって、物語というのは、いろんな発見が可能であると。言葉に置き換える、それをどんなふうに小説に応用するかということなんですね。短篇小説と長篇小説の違い、どう違うと思う？　私一人で喋ります（笑）。長篇小説は長いと、短篇小説は短いと言ったけど、例えば長篇小説らしい小説、ドストエフスキーとかああいうものと、短篇小説らしい小説、アメリカだったらポー[27]とかね、古いところでオー・ヘンリー[28]とかさ。日本だったら、芥川龍之介[29]とか短篇小説らしい短篇小説がある

がある。廣松渉の編訳による「新編輯版」が岩波文庫で読める。

▼24　石原慎太郎　一九三二―二〇二二。政治家、小説家。一橋大学在学中に『太陽の季節』でデビュー、弟・裕次郎の出演した同作の映画化によって「太陽族」などの風俗を生んだ。のちに衆議院議員、東京都知事などとして、差別発言や右傾化への批判をものともせず、作家としても最晩年まで活動した。

▼25　江藤淳　一九三二―一九九九。文芸評論家。『夏目漱石』でデビュー。『成熟と喪失』をはじめ、日本の戦後文学を論じた著作で一九六〇年代以降の日本の文芸評論を代表するひとりとなる。戦後民主主

るんですね。長篇小説、短篇小説というもの自体が、外国と日本ではちょっと違う考えを持っているんですね。日本は、あまり短篇小説と長篇小説と分ける気持ちがないいんじゃないかという気がするんです。

外国だったら、アメリカだったら、ノベルとショート・ストーリーとはっきり分かれているんです。真ん中は中篇で、それはノベラというやつで、だからショートストーリー・ライターというのと、ノベリストというのと二ついるわけです。僕だったらノベリストになるわけです。長篇小説をたくさん書いていているし、そうなるんだけど。そうきっちり分けようとしているし、アメリカなんかだったらむしろ短篇小説というものや、長篇小説というものを非常に意図的に自覚して考えている。日本ではあまりないいんだね、不思議なことに。それは皆さん見てのとおりで、これ(『物語ソウル』)、二百五十枚の本を作ったのは初めてだけど、例えば村上龍▼30以降、みな二百五十枚くらいの長篇小説やっているでしょ。本作っている。そういうことで、日本は垣根があいまいだし、長篇小説は何かとか、短篇小説は何とか、この考え自体、作家本人があまり考えていないいんだ。作家は、注文されて、今回は長いとか短いとか、その程度なんだね。

本当は、短篇小説も長篇小説もはっきり構造の違いがある。短篇小説は

義とその言説に内包されたアメリカの占領政策の影響を批反的に検証、保守派のイデオローグとしても論陣を張る。主著に『作家は行動する』、『漱石とその時代』、『自由と禁忌』など。

▼26　マルクス、カール　一八一八―八三。ドイツの経済学者、思想家。ヘーゲルやフォイエルバッハの哲学、唯物論を学び、ブリュッセルで共産主義者同盟を結成。四八年に『共産主義者宣言』を発表し、国家を抑圧の道具として批判する。のちにロンドンに移住し、『資本論』ほかの理論書を著しつつ、実践運動にも加わり、第一インターナショナルの中心人物として働いた。

詩に近い、長篇小説は叙事詩とかね、そういう言い方もちょっと違う。長篇小説というのは、基本的に構造を支える、構造の中に内在する運動みたいなもの、それが大きく違うんじゃないかという気がする。序破急とか、起承転結、これは構造の中で成り立つ運動とか速度とか現れるんだけど、それが速度であるんだけど、力を発揮すると構造みたいな形になって、それは形で言えば、四つの形でできるんじゃないか。これは『枯木灘』を書いたときもこんなこと考えたんです。作家の秘密だけど、自分のノートを買ったら、四つに割るんですよ。第一部、二部、三部、四部とこういうふうに割っちゃうんですよ。これがどんなふうに展開するだろうと、『枯木灘』の時は一番嬉しかったんですね。それを書けるのが嬉しかったから、本当に物語の構造そのものみたいな、これは運動であり、運動がこういう形になってくると構造として見えてくる、構造としての働きをするっていうことなんです。

物語というものをほとんど疑いなしに、疑うような物語を書ける、そういうことなんです。例えば主人公がいて、長篇の場合はこれが最後に変化する。突き動かされて、これが何度も変化する、そういう構造なんですね。主人公がここにいた、それが変化するために、何をもってくるかというと、

▼27　ポー、エドガー・アラン　一八〇九―四九。アメリカの小説家。世界初の推理小説といわれる『モルグ街の殺人事件』ほか、推理、ホラーのジャンルですぐれた作品を残した。ほかに『大鴉』、『黄金虫』など。中上は上記のように言っているが、オー・ヘンリーより一世代前の作家である。

▼28　オー・ヘンリー　一八六二―一九一〇。アメリカの小説家。銀行の出納係として横領事件で捕まり、獄中で小説を書きはじめた。夫と妻が、それぞれのもっとも大事なものを質入れして相手にプレゼントを買う「賢者の贈り物」や、病室に横たわる少女のために老画家が命懸けで塀に葉

対立する人間が要るんです。[31] 対立する人間をもってくると一番分かりやすい。対立する人間、動かすものを対立させて捉えていく。対立させようと思ったとたんに、対立には誰が要るか。たとえば融合みたいな形で、副主人公を迎えるんです。それで変化の過程がずっとあって、ある形を迎えるということ。対立という形になると、例えば弦を、琴でも、ギターでもいいんだけど、ボーンと弦を弾く。その弾く行為として、弾く道具として、対立項を、ある人物とある人物が対立するようなものを書いていこうと思っていたんです。

対立する相手というのは誰なのか、決定されているんです、常に。相手というのは、父であり、悪であり、決定されているんです。父であり、悪であり、自然であり、神でありと、それで決定されるんです。何故かと言うと、これは小さい神である、小さい子どもです。みなし児、私生児であ る。これは主人公として決定されているんです。すると当然、ドラマチックにこうやっていこうと、対立と考えたとたんに、この相手が、悪であり、父、そういう者であり、自分より先にあるもの、そういう形になってるということなんです。それが、秋幸の場合においては、基本的には先行する作品——ギリシャ悲劇や旧約的なもの、カインとアベル[32]の物語だとかを含

を描く「最後の一葉」などが有名。

▼29 芥川龍之介 一八九二—一九二七。小説家。東京帝国大学在学中に菊池寛らと第三次「新思潮」を創刊、つづく第四次「新思潮」創刊号に発表した「鼻」が夏目漱石に見いだされて、新進の小説家としてデビューする。初期は説話物語を現代ふうにアレンジしたり江戸時代を描いたりする短篇の名手として名高く、のちには私小説も手がけるようになるが、世界情勢の変化、ロシア革命後の社会化状況の浸透に、「ぼんやりした不安」を告白、三十代半ばで自殺に至る。

▼30 村上龍 一九五二年生。小説家。七六年、『限りなく

んでいたから余計、この対立でもまた、長篇小説を導く時のモチベーション、対立を持ったとたんに、当然父になり、悪になり、浜村龍造になり、同時に彼が見果てぬ夢みたいに見ている仏の浄土でも、同時にそれがバックに支え持っている、われわれの文化の頭の中にパックされている、叙事詩的な世界という形になります。

これはいろんな形で、長篇小説の構造というのは、姿を変える。構造が装いをするというか、恋愛小説でも、犯罪小説でも、あるいは若者たちの物語、『コインロッカー・ベイビーズ』▼33（村上龍）なんていうのは、これは完全にみなし児、私生児ですね。コインロッカーに捨てられて、次々に成長して展開していく、そういうドラマです。変化していって、途中で事件が起こる、そういうふうになっている。これが長篇小説の方法なんです。じゃこれで短篇小説が書けるかというと、書けない。お分かりでしょう。なんでだめか、だって枚数がないもの。こんな悠長なこと、こんな大掛かりなもの、枚数五十枚で書けなんて無理だもの。そうすると、それと拮抗するような、長篇小説には長篇小説の構造っていうのがあります。

例えば、こういうものに拮抗したものとして、装いとしてポエジーみたいなものを要求されたりする。当然ここで言葉を、百万語使ったとして、

透明に近いブルー』で群像新人賞と芥川賞を受賞。『コインロッカー・ベイビーズ』（上下巻四八〇頁）をはじめ、『愛と幻想のファシズム』（上下巻八六一頁）、『希望の国のエクソダス』（四二二頁）、近作の『半島を出よ』（上下巻、計九二六頁）に至るまで、たしかに長い作品が多い。

▼31 対立する人間が要る
このあたりの物語構造にかんする中上の思考は、ある部分で、大塚英志の論じる物語論に通じるところがある。とはいえ、前者はそのような定型を基盤にしながらそれを内的に打ち破るものを見いだそうとし、後者はマーケティング的に量産可能なノウハウを語っているように見られがちな

四百×五十枚として二万語の言葉と、百万語とを、外に差し出した世界の重圧というのは一緒でしょう。読むのはみんな一緒じゃない。僕は短篇小説には甘くて、長篇小説にはきついとか、そんなことないです。差異はないわけです。言葉の重圧は同等にかかるわけです。当然ポエジーといえば、そこで使う言葉はできっこないね、使えっこないね。逆にここの言葉を、こっちに使うと使えっこないんです。

例えば短篇小説では、一つの方策として、突然、私がここに入ってきたとたんに、毒虫に変身して入ってきた▼34とかね、中上がね（笑）、そんなふうな形で、いきなりいろんな形を要求される、最初にね。それは早くやっていかなくちゃいかん。長々とこんなふうに、叙事的な、物語るような形にはできないということが、はっきり短篇小説の構造として決定されている。それ故にいきなり早く始まるし、言葉も研ぎ澄まされた形で働く。そういうものを長篇小説に使ってしまうと、五十枚の方法みたいのを使ってしまうともう書けない。もちろん長篇小説は長篇小説で、ゆっくりでもないけど、その長さの分だけ長いような形で展開していく。長篇小説と短篇小説とどう違うかということについて、もう少しみなさんにはっきり分かってもらうには、書いてもらうのが一番いいんだけどね。書いてもらって、

のだが、一方ではそれぞれが神話的な構造を（大塚の場合はプロップや柳田を経由して）下敷きにしている点で、また他方では、最終的にそうした構造が打ち破られずにはいないと語っている点で（同じく大塚の場合は「ものがたりのたいそう　子供と一緒篇」など）、やはりどこか通底するものがあるはずだ。にもかかわらず、両者に質的な差異があるように映るとするならば、それは、とりわけ小説に対して大塚の基本スタンスが批評家でありプロデューサー（教育者）的であるのに対し、中上はこの講演でも語られているように「先に考えて、喋るのが遅いから合わない」過剰のもと、徹頭徹尾、

私が見て、テキストをもとにこれはこうなんだというのが一番いいんです。じゃあ、質問受けつけます。

質疑応答

Q：前半のほうで、日本的な日本独自の、西洋とは違った意味での構造ということをちょっと話されたと思うんですが、そうすると、いわば仕方なく構造という言葉を使われているような感じに受け取ったのですが。構造も、誰かが言ったと思うんですけど、まあ、ヨーロッパの方言でしかないわけで、そういう意味では今は一応構造という言葉しか使えないけれども、そういうものなら日本にもあるということだったと思うんですね。今、急に後半は実践物語論というか、小説作法論になっちゃったんですが、そこに出てきた構造という言葉は、そうすると日本的な曰く言い難いものの一つの例として、小説というものを今考えてるということなんですか。

A：いや、そうじゃなくて、あくまでも文学として今言ったんです。文学

「書く」ことでそうした構造をみずから乗り越えてしまう実作者的であることに起因するのだろう。大塚は世界（＝物語）を観察し動かそうとしてしまうが、中上はつねに世界（＝物語）に犯されようとしているのだ、と言ってもいい。

▼32 カインとアベル 『旧約聖書』の創世記第四章に登場する、アダムとイヴのふたりの息子。神に貢ぎ物を認められたアベルを、認められなかったカインが殺す、人類最初の殺人犯人とその被害者でもある。

▼33 『コインロッカー・ベイビーズ』 コインロッカーに捨てられていた「キク」と「ハシ」の物語。田舎の養父

の中の、日本型の構造と、ヨーロッパとか、アメリカの構造というのは、違うだろうと、そういう峻別を言っているわけじゃなくて、まずとりあえず、われわれの話はもう一遍もとに戻ったんです。もとに戻って、小説を書くうえで、短篇小説、長篇小説という分かりやすい形で考える。その上で構造というのが、長篇小説と短篇小説の中に、その二つに違いがあると、大体こんなふうなものだと、そのセオリーみたいなものを喋ったんです。さらに、それがどう日本型と西洋型に分離するんだろうというようなことで言えればいいけど、ちょっと時間がないし、しんどいんだ、俺。だから、ポーの短篇と芥川の短篇は違う。その違いは何なのか、違いはあるんだよ。

そういうことを考えてるんだけど、それ言い出すとまた長くなるんで、あることは覚えといてください。だから、短篇小説と長篇小説では、言葉とか呼吸の仕方は違うだろうと、鵜呑みにされても困るということなんです。どなたか？

Q：ロゴス中心主義の批判に対して、例えばそれは漢字という一つの文化のあり方、あるいは神道のなかにあらかじめあるというか、そういうふうに聞いたのですが。例えば、神道にしても、漢字にしても、一つの始まり

母に引き取られたのち、ひとりは陸上選手として、ひとりは歌手として成長する。だが同時に、彼らの一方は外部の世界の破壊を、もう一方は自己の内部の破壊をめざすことになる——七〇年代に多発した、コインロッカーに乳児を遺棄する事件を背景に描かれた、一九八〇年刊行の長篇小説。

▼34　**毒虫に変身して入ってきた**　言うまでもないが、フランツ・カフカ『変身』が元ネタ。しかし中上健次が目覚めると毒虫になっていたとして、ヨーゼフ・Kのように遅刻を心配したり職場に電話を入れたりするだろうか……冒頭を読めば、この第三回講座だって、開始時間が過ぎても

がある、つまり物語の初源というものが考えられるわけで、それが中上さんの場合でしたら、古代のあたりに惹きつけられているようなんですけど、その初源の問題ですとか、現在にまで力を及ぼしているにしても形骸化したような形もありうるわけなんで、そこらへんのことを……。

A：起源をどうするのかということでしょ。神道というイズムみたいな形になってしますと、起源を信じろということなんですよ、単純に言うと。高天原[35]以降、神々がいてという話で、神道というのは、そういう起源を問うな、それを信じろ、それを丸呑みしろ、それがイズムなんだと。そういう丸呑みするってことが、僕にとって現代文学の課題の形になっているというんじゃなくて、神道というものが指し示している、非常にゆるい、例えばロゴス中心主義の最たるものであるキリスト教的なもの[36]とか、あるいは、もっと以前の旧約的な、ユダヤ教的なものとか、それは全部ガチガチに、ほとんど世界に余すことがないような形で、言葉が詰まってしまっている。そうすると、われわれは反復といえば反復、コピーといえばコピー、そういう形でしか存在し得ないという。それはユダヤ人でもないし、キリスト教徒でもない、ヨーロッパ人でもない僕なんか気にくわないし、合わ

現れず心配した主催者の電話でようやく起きたらしいのに。

▼35　高天原　『古事記』において、天照大神ほか、天津神の住まう場所。『日本書紀』にもその記述が見られる。

▼36　ロゴス中心主義の最たるものであるキリスト教的なもの　「ヨハネの福音書」に「初めに、言葉があった。言葉は神とともにあった。言葉は神であった」とあるように（ここでの「言葉」とは、父なる神の意志を伝えるもの、すなわちキリストのことでもある）、またヘラクレイトスやソクラテスのギリシア哲学以来の伝統として、西洋的な思考はロゴス（言葉）とそれによる論理や思弁を世界の主たる構成要素として捉えてい

ないですよ。

　ジャック・デリダにしても、ロゴス中心主義をディコンストラクションしようとしている程度にしても、やっぱり非常にユダヤ的であるし、逆な意味の、反物語を標榜している物語という、そういう装置になっていると思います。ドゥルーズにしてもそうだし。そういうふうに詰まってしまうなら、目詰まりになってしまうなら、神道のあのアナーキーさみたいな、神道というのは仏教と比べてみると、世界宗教になり得ないような、いろんな欠けている部分があるんですね。そういう部分がものすごく面白いんです。それが思想の問題として展開していったときに、あるいは文学の問題として展開していったときに、われわれにいろんな発見の糧を与えてくれるんです。

　われわれはそこで目詰まりでなくて、こうもできる、ああもできる、という、超能力みたいなね、こうもできる、ああもできるということを見させてくれる、考えさせてくれる。それが、別な人は霊の問題として、最近日本でも霊のこと言う人はいっぱいいるけどね、そういうことで話したり、普通の庶民の衝動になってると思うんですよ。みんな何か感じているんだけど、それをみんな浅田彰みたいに、あんなふうに喋れないわけでしょう。

た。それに対してジャック・デリダは（前掲註にも述べたが）、そうしたロゴス中心主義に潜在する二項対立および劣位項に対する抑圧を批判し、脱構築（ディコンストラクション）を提示しているわけだが、そうした整理をもここで中上は「反物語という物語」と切り捨ててしまっている。

そうするとそれは、われわれのこの時代の、日本であるから実は起こっている思想的な課題、それを肌で感じてのことなんだという僕の考え、それゆえにものすごく大きな問題としてあるんじゃないかということを、皆さんに言いたいんですよね。

Q：去年、神社のほうの関係で興味があって、長野ですとか岐阜・静岡を車で回ったんですけど、身体的に非常に疲れてきて、一日五百キロ以上運転してると、神社がどこにあるのか、すぐ分かるんですね。ちょっと自分でも別にそれほどシャーマン的な素質があると思ってないですけど、神社のある場所が、遠くのほうからでも、全然関係ないところからでも、ああ、あそこにあるなと思うと必ずあるわけですね。それである種のインパクトを感じたんですが、それは気持ちがいい面と、ちょっと気持ちが悪いなというか、そこにどっぷりは浸かれないというか、それがよくわからないんで。

A：一つは、神社がどこにあるのか分かるというのは、簡単なことなんだよ。みんなそうなんだけど、そういう能力を持っているよ。例えば徹夜する、大酒飲む、まさに過酷に苛めている状態ね、そういうときにたぶん呼吸が苦しくなったりするんだよ。神社というのは、バリアが張ってあるんだ、そういうこと言うと変だけど、気流がおかしいんですよ。大体そういう所に神社は作ってるわけ。蝶々でもその辺りをすっと避けて通るからね、そういうのがあるわけ。飛行機なんか乗るとよく分かる。小型飛行機でその上を飛んでくれと言うでしょ、熊野の上を飛んでくれと言うでしょ、それは絶対飛べないと、なぜ飛べないのかっていうと、神社の上だからというんじゃなくて、神社じゃない、気流がものすごくなっている、そう言いますよ。ある意味では、そういうカラクリだけど、同時に宗教の問題、科学であるがゆえに宗教の問題なんです。そういう能力は持っている、あなたは確かに当たっている。

もう一つ、それがなぜ恐いかと、多分われわれはもともとみんな恐かったんだよ。闇なら闇が恐くてしようがなかったんです。だから電気を発明したりして、暗闇から逃げたんです。例えば万葉の時代から、万葉の時代をとってみても、やっぱり気なら気の動きを見て恐いと、説明つかないくらい恐いと、そういう部分だと思うんです。あなたが、もしそれが恐いと、嫌な気がすると、嫌な気がするのは当然だと思う。そういうことが、こんなに文明が発達してくると、そこから、文明の中から隙間が出てくるわけでしょう。例えばこういうビルディングというか、それを近代的と言うなら、近代的に洒落(しゃれ)てるってことは、全部引き算されている。それはどこでもない、ほとんど希望でもないような、そういう存在なんです。今の新しいとか、新品とか、近代的だとか、西洋ふうだとか、今やってることは、それは全部引き算しちゃっている。ヨーロッパ的とか、イギリス的とかも全部引いちゃってる。考えてみれば本当にあの連中のほうがもっと足し算しているわけよ。われわれは引き算して、それを近代、あるいは現代という、それをカフェバーと呼んだりするみたいな、そういう所で中沢新一が遊び回っていたり、そんな愚かなところあるんだけど。

センチュリー・ハイアット▼37というホテルが仕事場のそばにあるんだよね。スリッパで行ったら、お客さんやめて下さいと言われて怨みに思ってるんだけど（笑）。センチュリー・ハイアットのところで見るとね、ほんと嫌になってくるんだよ、正直、引き算された中にいる。単純に言うと、何の手垢も残さない、文明の跡も残さないいくらい引き算してる。それがいいと言ってきたんだよ。そうすると、われわれの中に亀裂が入ってくるんだよね。そういう亀裂をわれわれは見ているから、当然恐いよ、そんなことは

▼37 センチュリー・ハイアット　東京・西新宿にあるシティホテル。この講演に先立つこと四年、一九八〇年に開業し、同時期に新館を開業した京王プラザホテル、八五年に開業するヒルトン東京などとともに、同地域の高層シティホテル・ブームを導いた。同ホテル一階のレストラン「ブローニュ」を、中上は編集者との打ち合わせ場所としてよく使った。現在の正式名称は「ハイアットリージェンシー東京」。

さ。そういう亀裂の問題だよ、今あなたが見てしまうというのは。そこから逃げるとか、逃げないというより、やっぱり見るしかない。正面切って向き合うしかない。

（一九八四年五月二十八日、東京堂書店神田本店六階文化サロン）

第四回　場所について

トポスへの嗅覚

酒飲み過ぎて、遊び続けて、何かもっと完全に飲めばよかったんだね。今日、話そうと思うのは、小説の場所ということなんです。場所というのは、具体的なある場所、トポス[▼1]とか言われる、あるいは場所自体が大きな宇宙、場所自体が文学のコスモロジー[▼2]みたいなものを持っているという、そういう類です。作家の中に、そういう場所というものに対して非常に鈍感な人も、敏感な人もいる。作家の中にいろんなタイプの人がいるんだけ

▼1　トポス　もとはギリシア語で「場所」を意味する語。日本語の文脈においても、なんらかの感情や意識を喚起したり、歴史や物語を内包している、そのようなある種特権的な場を指す。中上にとっての路地、大江健三郎にとっての四国の森などもその一例。119～121ページにも言及あり。

▼2　コスモロジー　世界観。現在ではあまり使用例を見な

ど、場所ということに関しても、あるいはその前の構造ということに関しても、その前の主人公の位置決定ということに関しても、ごく稀にいるかもしれないけど、ほとんどは鈍感ですよ。

ずっと四回にわたって、自分でそういうものに対して非常に意図的であろうとしている一人の作家が、訥々こう語ってきた。意図的に、普通なら眠り込んでいたような部分を、意図的に抽出して検証台に乗っける、そういうことなんです。その話をする前に、仕事場を最近作った（東京・西新宿）んですよ。あんまり田舎の外ればっかりだから編集者に悪いと思って、忙しいから締め切りに間に合わなくて、しょっちゅう缶詰めになったりしているから、仕事場を作って、そこに当然、机とテレビがあるんですね。ちょっと地図を書くね。ここにテーブル、ここにベッドがあるんです。ここが台所、ここにデスクが、ここにテレビ、ここにクーラーがあって。

で、この間ペシャワールに行って、ペシャワールというのはガンダーラの美術品が出土するところなんです。マーケット行くと、ガンダーラの石とか買わないかと。僕も面白いから、ひょっとするとインチキかもしれないけど、自分の勘とかを頼りにいくつか買ってきたんですね。それで僕はいたずらをしたんです。ここに、ガンダーラでちょっと顔が磨り減っていくなった。

る、全身が磨り減っている仏像で、こういう結界を作ったんです。結界を作っていると、自分にいいことがあると思っていたら、風邪ひいてしまいました（笑）。毎晩酒飲んでいて、そういうあれなんです。

この前、飲みに行った人いますか。この前行ったのは、東京堂でコンパして、新宿に出て、新宿のここが厚生年金会館、この裏辺りに「英（ひで）」という店、この辺りに「アンダンテ」行ったよね？「アンダンテ」という飲み屋が混んでいたんで、カラオケ歌いに行こうと、何時ごろだっけ、十二時半ごろだった。こっちは二丁目のゲイバー通りで、ここはホモのメッカ。この辺りでカラオケをやってる、そこに飲みに行って、何時ごろだった？三時半くらい、歌うたった人いた？それでこの店のママとかと蕎麦屋に行ったんだ。蕎麦食って、ビール飲んで。昔は東口のほうに「茉莉花（まつりか）」▼3という馴染（なじみ）の文壇バーがあって、大体深夜までこの辺りで飲んで、ここから八王子（の自宅）に帰るんです。

場所ってこと考えるときに、例えば東京を舞台に小説は書けないということ、聞いたことあるでしょ。東京はのっぺらぼうになってしまった。ビルばっかりでと言うんだけど、東京でずっと遊び歩いていて、夜も、朝六時になってもまだ飲んでいて、ホテルでもレストランでも眠り込んでしま

▼3「英」、「アンダンテ」、「茉莉花」　いずれも、新宿に店を構えていた文壇バー。新宿には主として純文学系の書き手や作り手が、銀座にはエンターテインメント系のひとたちが集う傾向がある。店の雰囲気も大きく違い、銀座では女の人が席につく場合も多いと聞くが、新宿は基本的にお客同士であれこれ話すのがほとんど。だからといって「高尚な文学談義」ばかりが飛び交っているわけではまったく、ない。今日も残っているそうした店では、生前の中上健次の「伝説的挙動」があれこれ語り継がれている。そうしたバーを舞台とした作品に、野坂昭如『文壇』、久世光彦『女神』など。

う、そういう暮らししている。いろんな人間に会って、東京ってものすごく面白いんじゃないかと。ということは、絶賛するつもりだけど、新宿二丁目というのは、東京の本当の闇なんじゃないか。一番醜くて、一番どろどろしていて、一番傷ついていていてという、そういう所なんじゃないかな。さながらタンゴが出てくる場所とか――タンゴは何処で生まれたか、あるいはレゲエが何処で生まれたか、フラメンコが何処で生まれたか、ジャズが何処で生まれたか。そういう音楽の発生場所みたいな、同じようなこういやらしい、スケベで淫らで、淫靡でじめじめして暗くて、汚くて、さながら重力がないような場所なんですね。そういうのが二丁目にはある。そういうことで、小説を書きたい人はぜひ二丁目に行ってください。二丁目の町内会長やろうかな（笑）。

今日は、僕が発見した新宿というか、東京の闇みたいなもの、それを説明したいんだけどね。ある所で会った、売り専▼4の少年がいたんだけど、なんでやっているの？　と聞いたら、自分には父親が五人いるんだと。母親はずっとコールガールをしていたらしい。自分が生まれてからすぐに、青森のお婆ちゃんの家に預けられた。青森のお婆ちゃんちで、お婆ちゃんと一緒に暮らしていて、お婆ちゃんは脳溢血で死んだけど先生、女って恐い

▼4　売り専　主として、同性相手に金銭を対価として性行為を行う男性のこと。飛川直也『新宿二丁目ウリセン・ボーイズ』などを参照。

よね、自分の孫がだんだん大きくなってきて、婆さん僕を誘うんだよ。僕はすごいなと思って聞いていたんだけどね。それでその少年は、いつも金がないから、スーパーマーケットで万引きして暮らしていたんです。そうやって少年期を終えて、マーサッジの免許を取って、それからその少年は十八くらいでホストクラブに勤めて、女を相手にホストをした。女って業が深いんだなって言うんだけど、稼ぎたいからもう少し率のいい商売しようと思って、店を替えようと思って、その店に電話かけてそこに行ったんだよ。その店が売り専の店だと知らずに、ほとんど騙されて深みにはまり込んだというか、そういう少年なんだけど。

ちょうど俺、ぱっと思いついたのは、この間パルコで観た『エレンディラ』[▼5]という映画なんだ。『エレンディラ』という映画は、ガルシア＝マルケス[▼6]という作家がシナリオを書いた映画なんだけど、『エレンディラ』というのは、婆さんがもともと売春婦をしていたんでしょう、高級売春婦みたいなのを。それで、途中は忘れたけど、孫娘が婆さんと二人で暮らしているんです。ものすごく豪華な調度品があるところで。で、孫娘をこき使って、孫娘がエレンディラという名前なんだけど、エレンディラは眠りな

▼5 『エレンディラ』一九八三年、ルイ・グエッラ監督。短篇小説「無垢なエレンディラと無情な祖母の悲惨な物語」を、原作者ガルシア・マルケス自身が脚色した。売春を強要された十四歳のエレンディラは、祖母に伴われて国中を経巡る。その道中で美少年ユリシスに出会ったエレンディラは、彼と逃亡を計るが捕らえられ、しまいに祖母に殺意を抱くようになる。

▼6 ガルシア＝マルケス、ガブリエル 一九二八—二〇一四。マジック・リアリズムと呼ばれる、精霊など民間伝承や神話的存在と日常を描くリアリズムとを同居させる手法が特徴の、中米コロンビアの小説家。一九六七年に発表

がら仕事をする癖があってね、あるとき睡魔に襲われて蠟燭を倒して、その家が全部丸焼けになって、婆さんとエレンディラだけになった。婆さんが言うわけ、自分の孫娘にね。お前働いて返せ。で、結局エレンディラはずっと売春し続ける、そういう話なんだ。何かそれとすごく似ていると思ったね。例えばガルシア＝マルケスは自分の土壌みたいなその話を聞いて、非常に衝撃を受けて、「エレンディラ」という短篇小説を書き、さらにシナリオを書いたと思うんだけど。そういう話が、全く同じことが形を変えて新宿の闇というか、あの近辺でごろごろころがっている。そんなことを知るような嗅覚みたいなものは、とても大事だと思うんだよ。つまり、そのことというのは、知る嗅覚というのは、もう少し別の言葉で、言葉を換えて言うと、トポスへの嗅覚というかな、あるいはコスモロジーというのを、瞬間読み取るような嗅覚、そういうことだとも言えると思うんです。

文学は一体どういう所から出てくるのか。あるいは表現というのはどんな所から出てくるのか。音楽とか、絵とか、詩だとか演劇だとか、そういうものというのはどういう所から出てくるのかということ考えると、僕は今日場所の問題として、二丁目の風景のことを言うのは間違ってないと思う。僕が二丁目を絶賛しているというのは、ちょうど僕は十八の時に東京

した、マコンドという町でくりかえされる人々の誕生と死、運命を描いた『百年の孤独』によって、ラテンアメリカ文学の代表的存在となった。八二年にノーベル文学賞。ほかの代表作に『予告された殺人の記録』、『族長の秋』、『落葉』など。

に来たんだけど、今しょっちゅう新宿で遊んでいる。まったく二十年、二十年捜して、東京を発見しているという気があるんですよ。そのせいだと思うんですね。ずっとご存知のように、芥川賞[7]をもらったあたりから、集中的に「路地」という場所、「路地」を場所として設定して、書き続けてきたんだけど、その「路地」は場所としてもう用をなさないと認識したんですよ。今日、僕が話をする場所って何なのかという問題は、「路地」が解体した、あるいは解体させられた、という解体を通った作家がそういうことを話している。場所を改めて言っているということにもなると思うんです。

「路地」って何なのかというと、やっぱり心が落ち着くんだけど、ここに大きな道路がある。この道路があって、これが山（臥龍山）なんです。こういう山で繋がっていて、それでこういう境でここからが「路地」、そういう場所なんです。こういう卑猥な、卑猥というか、汚辱というかそういう場所はこんなふうにできている。新宿二丁目の場合は、この辺りが交差点が四差路になっていて、もう少し道がついていてね。これが「路地」の方では、山の端、上に行く道が大きな意味をもっていたから、結界を自分たちで越えて外に出る。それともう一つ、「路地」の場合はね、トポスの

▼7　芥川賞　第六十九回（『十九歳の地図』）、第七十二回（『鳩どもの家』）、第七十三回（『浄徳寺ツアー』）と芥川賞候補に挙がった中上健次は、続く第七十四回（一九七五年下期）に四度目の候補作『岬』で同賞を受賞した。同時受賞は岡松和夫「志賀島」。選評では吉行淳之介の「人間関係が複雑をきわめているので、二度読んだ（……）読者はふつう親切ではないので、途中で放棄される可能性のある書き方である」をはじめ、文体の読みづらさを指摘する声が多い。丹羽文雄は「母親がよく描かれていた。この母親によって賞をうけたようなものである」との選評を残している。

意味を表わす。トポスとは何なのか、場所とは何なのかというと、交通網が交差する所、道路が交差する所、あるいは情報が交差する所、あるいは文化とか産業が交差する所、こういうものがあることが、場所の非常に大きな意味を持つんだけど。

ほかに「路地」の場合には井戸があったんです。こんなふうに井戸を中心に、最初はずっとこの辺りまでが蓮池だったんです、蓮池で、こっちは普通の平地、沼地で、普通は山のこの辺りに住み着いたんです。それが次第に、下に降りてきて埋め立てたり、直したりして、井戸が出る所、水が出る所、共同の場所というんですかね、そういう形として出来上がってくる。これも大事なことだと思うんです。文学における場所というのは、絵における場所とか、音楽における場所、それを検証する時に、そういうものがあるかどうか。井戸が持っているような意味があるかどうかということだと思いますね。

もう一つ、この「路地」の傍に浮島の森というのがある。上田秋成[8]の「蛇性の淫」(『雨月物語』[9])とかにでてくる。で、昔の地図を見ると、この辺りはずっと沼地だったんです。人なんか住んでなかった。新宮市内で見ると、こっちが千穂ケ峰、これが熊野灘、ここが大浜、海岸なんだよね。

▼8　上田秋成　一七三四—一八〇九。江戸時代の読本作家。代表作は『雨月物語』、『春雨物語』など。国学の研究者としても活躍した。

▼9　『雨月物語』　上田秋成の手になる怪異短篇作品集。「吉備津の釜」、「菊花の約」など、全九篇の短篇作品で構成されている。「蛇性の淫」は、ある男の、雨宿りを契機に惚れた女が、じつは蛇の化身であって、のちに男の妻に乗りうつる話。新宮に隣接する三輪崎が舞台。溝口健二によって映画化が、また石川淳、円地文子、大庭みな子らによって現代語訳がなされている。

こういう台形が新宮市なんです。ここに速玉大社[10]、熊野三山[11]の速玉大社があって、ここに阿須賀神社という小さな神社があるんだけど、速玉大社ほど有名じゃないけど、ここから弥生式の土器が出た。ここが神倉山で、「路地」はどの辺りにあったかと言うと、こっち側が旧新宮で、山がこうあって、こう繋がっている。山裾があって、これは既に取れてしまっている。こっちが旧新宮だよね。「路地」はここにあったわけ、ここにできたわけ。ここに一本道がついて、駅があって、汽車がこう……地図書いてわけ分からんと思うかもしれないけど。

この場所の感覚というのは、例えば皆さん方、ジャマイカに行っても、スペインに行っても、場所、聖なる場所、ジャズが涌き出てくるような場所とか、文学が涌き出てくるような場所とか、あるいは何かわけ分からんけど、何かのエネルギーが湧き出てくるような場所というのは一体何処なんだということを、ある都市に入ったらぱっと知るということは、とっても大事なことなんだね。一つの旅行を、全然違う味つけができる。何故こういうものが、場所として設定されてしまうのか。これは表現領域として基本的に言えば、物語論でいつも言っている、神話空間なんだと思うんですよ。

▼10 速玉大社　熊野速玉大神（いざなぎのみこと）と熊野夫須美大神（いざなみのみこと）を主神とする神社。

▼11 熊野三山　和歌山県南部にある、熊野本宮大社、熊野那智大社の野速玉大社、熊野那智大社の総称。全国の熊野神社の総本宮。サッカー日本代表のシンボルマークである八咫烏（やたがらす）はこの三山の神鳥であり、ワールドカップに際してはサッカー協会の関係者が祈願に訪れるという。

例えば物語の中で最初の物語の祖と言われる、『竹取物語』でお姫様が、かぐや姫が竹の筒の中に入っている、ここなんです。これがここなんだ。つまり、「路地」というのは、うつほなんじゃないか。藤原仲忠（『宇津保物語』の登場人物）が母親に連れられて、京都の北山に入って行くんだよね。それで二人で、親子でそこで獣たちに助けられて生きていくんだけど、その雨露をしのいだ場所がね、うつほという、木の大きな祠（ほこら）なんですよ。木の大きな祠にいて、そこで琴を習ったりしたという、非常に奇怪な物語なんです、よく考えてみれば。奇怪な物語というより、僕から見れば何の奇怪さもなくて、これは正道なんです。本当のことなんです。ということは、大きな木というのは、シャーマニズムというので考えてみればよく分かると思うけど、大きな木というのは、精霊の力が宿ると皆が考えるし、そういう空洞ですね、そういうものにできた空洞。

あるいは韓国に檀君▼12というのがあるんだけど、最初卵の中に入っているんです。みんなこんなふうにある物の中に、例えばわれわれの今の天皇、天皇が天皇になるための儀式、つまり布団をかぶってね、こうして繭のようになるんですよ▼13。このことを意図的にやるんですね。もっと古代において、高取正男▼14さんなどが明らかにしているけど、もっと仏教が入る以前の

▼12 檀君　朝鮮の開国神話で檀樹の下に降臨したといわれる古朝鮮の開祖。

▼13 繭のようになる　大嘗祭における、「主基殿の儀」のことを指していると思われる。天皇の新生を模した儀式と言われるが、詳細は秘されており不明。

▼14 高取正男　一九二六―八一。歴史学者・民俗学者。主著に『日本的思考の原型』、『民間信仰史の研究』ほか。ここで中上が参照しているのは、一九七九年に刊行された『神道の成立』と思われる。

神道の場合だったら、例えば本当に天皇になろうと思って、心霊を身につけようと思ったら、天皇霊を身につけようと思ったら、草を敷きまして、ほうぼうに生贄（いけにえ）の血を塗りつけまして、そこにごろごろと転がる。それは当然閉ざされて行う。同じことです。日本において、はっきり分かっていただきたいのは、日本は階級なんてないんです、元々。階級という考えが出てきたのは、戦後になって、戦後というか明治になって出てきた考えであって、日本はこういう形で対応しているんです。日本の構造というのは、こういう形で対応しているんです。天皇家でやっていることは、被差別民がやっていることと同じことなんです。はっきり文献でも明らかだし、実際やっていることでも明らかなことなんですね。このことを、ここに被いを掛けてしまえば、やっぱり聖なる空間の中にいて、そういうことをやっていると思っていいんじゃないか。

　このうつほっていう考えみたいなものね、これはとても大事なんじゃないかと思うわけ。こういうものが、われわれ小説を読んでいると、われわれ小説を書いていると、意識、無意識の内にこういうものに引っかかっている。聖なる場所、あるいは聖なる空間、意識、無意識のうちに引っかかっている。これは同時に何なのかというと、一つの意味が絶えず逆立ちして現れる。あるAという意味として出てきたものが、これがすぐBになる。Bに転化する。あるいはそうじゃなくて、AとBが一緒になって出てきて、Aしか見えてないという、ダブルバインド（二重拘束）方式みたいなものが出てきたりする。それはそのうつほの無重力空間、ここではさっき言ったように、一番賤なるもの、一番卑俗なものっていうのが非常に聖なるものに変化する。例えばさっき言った売り専少年の、それをちょっとひっくり返せば、「エレンディラ」という小説になるんじゃないか、映画になるんじゃないか。「エレンディラ」という聖少女というか、聖なる人間の物語と考えて、それと同じように、われわれはすぐ傍には、そういう目で見たら、くるっとひっくり返るという、そういう形がある。

小説に現れたトーテム

うつほの場所の意味ですよ。絶えずダブルバインド状態という、意味が多重になる、多議性を持つ、一つの意味があって、無数に意味を発している、そういうことなんだ。このことがね、小説の中で無意識に書かれた中で使われているんだと。いい小説ほど、こういう無意識が多いんですよ。僕のいい小説を言いますと、今度『日輪の翼』[15]って出るんだけど、あれを何で考えたかっていうと、例えば車ってこの間言ったでしょう。車というのは、一つものの見方を変えると全然違うものですよ。ぱっと瞬間にトランスファーするような、此処(ここ)と彼方を繋ぐもの。古代においては、聖なる宗教的なものを含めて、ということを言ったと思うんだけど、僕しょっちゅう、紀州、「路地」に向かって帰るんだけど、ずっと走っているでしょう。日本の高速道路は高いんですよ。みんな高架状態、つまり橋げたつけているわけでしょう。日本は平地が少ないから山の上を通る、山の上をずっと繋げて走るんですよ。何だと思う？　昔の人見たら。『神道集』[16]の役(えんの)行者(ぎょうじゃ)[17]を考えてみると、役行者という修験道[18]の創始者が山から山へ向かう、要するに天の道なんだよ、今の高速道路は。そんなこと皆さん一度も考えたことないでしょうけど、もし古代の人間が今出てきて、高速道路を見て、車が飛んでいるように走っているのを見たら、これは天の道が通っていると、役行者たちの親戚というか、一族が走っているんじゃないかと、そんなふうに思うはずです。

こういうことが無意識の内に全部起こってきていると、みんな小説の中

▼15　『日輪の翼』　一九八四年、新潮社。『地の果て 至上の時』で描かれた路地の消失ののち、路地の若者と老婆たちが、改造トレーラーに乗って旅する物語。結末では老婆たちが、皇居の前で不意に姿を消す。

▼16　『神道集』　神社縁起（神社の歴史や由来）、神仏の逸話などを中心とした、唱導文学の代表的なひとつ。熊野神社はじめさまざまな神社をめぐる物語が収められ、中上の座右の書だった。

▼17　役行者　六三四—七〇一？。『続日本紀』（『日本書紀』後の約百年間の歴史を記した勅撰書）にも登場する修験道の始祖で、正しい名は「役小角（えんのおづぬ）」。

で高速道路を書いても、高速道路をちゃんと描写できれば、そういう刷り込まれた神話時代というかな、動物学で刷り込み理論[19]ってあるんだけど、刷り込まれた神話時代というのが、ぽかっと顔を出すんです。そういうものを読んで、われわれは反応しているはずだ、ということをみんな分かってもらいたいんです。じゃどんなふうになって出てくるかというと、本当に面白いんだよ、俺の話はあまり面白くないけど（笑）。例えば物語の中で、突然蛇とか出てくるんですね。蛇が出ると物語は面白くなるんです。突然鳥を入れると面白くなる。こういうことが起こっていること、みなさんご存知だろうか。小説の中に蛇だとか、鳥だとかが入ってきたら面白くなるんだということを分かっていた人いないかな。単純にもう一つ平たく言うと、全部トーテム[20]なんだ。トーテムというか、例えばわれわれの中に眠っている縄文の血だと思っていい。例えば俺は梟の神を背負って生きてきたとかね、そういうトーテムに出てくるようなもの、それが小説の中に登場するとすごい面白くなる。

それは単純に言うと、地を這うもの、空を飛ぶもの、鳥っていうのは空を飛ぶ、つまり地と天——物書きは算数はできないけどこういうことはできる。天地、この地は蛇が一番面白いけど、そういうものをわれわれは知

大化の改新とほぼ同時期に修行を始め、鬼を手下にしたり人々の病を秘符で癒したり藤原鎌足に憑いた生霊を鎮めたり、と大活躍。壬申の乱で大海人皇子に味方するなど、行者といっても生臭く、六十六歳で謀叛の疑いのもと母親を人質にとられ伊豆に流される。空を飛ぶように走る術を流刑先で学んでインドに向かい、仏舎利を持ち帰って熊野本宮に安置、のちに九十九歳で再びインドで目撃された……等々、伝説・伝承に多様に登場する超人的能力の持ち主。史書には、伊豆大島への流罪のみが記されている。

▼18　修験道　山岳信仰をベースに、密教的な祈禱と道教的な自然信仰が入り交じった

っているわけ。俺が言わなくても知っているわけ、知っているんだけど、それについて自覚してないわけ。そういうものが、われわれの中にある。鳥もそうなんだ、空飛ぶ、空飛んで突然鳥が登場してくるのは、鳥って何なのかというと、天からの使いなんだよね。昔から、鳥というのは霊魂を運ぶ。もう一つ、鳥は卵から生まれる、卵生である。卵から生まれる、つまりわれわれの中に眠っている縄文の血というか、卵から生まれるものに対してものすごい畏怖を抱いた、恐れを抱いた。われわれの中の一種神話作用が働いて、卵っていうと、空飛ぶもの、鳥の変化なんだね。

もう一つ何かというと、これは蝶々なんです。東アジア内で蝶々も神話的な物語の中に入ってくると、物語の磁場を突然変えてしまう。「路地」の中では、あるいはうつほの中では絶えず変転して、天と地が決定不能に陥ってしまう。そういうことが起こるんだけど、これが入ってくると突然物語が転倒する、ひっくり返る、そういう形が起こってくる。こういうものを一番自覚していたのが、自覚して一番反応したのは川端康成▼21なんです。「禽獣」▼22なんか、非常に上手に、非常にうまく鳥の意外性みたいなもの、それを一番敏感に、鋭敏に捉えて作ったケースだと思うんですね。

トーテムっていうのは、われわれだけじゃなくて、単に小説家だけじゃ

宗教。修行者たちはおもに「山伏」と呼ばれる。

▼19 刷り込み理論　インプリンティング。孵化したばかりのヒヨコが、最初に目にしたものを親だと思ってついて歩く、という例でよく語られる。オーストリアの動物学者、コンラート・ローレンツによって発見・命名された。

▼20 トーテム　狭義には、北米大陸のネイティヴ・アメリカンが、部族内の血縁集団それぞれに付与した、固有の精霊（動植物等）を指す。精霊は血族の守り神であり、同時にその血族にとって不可侵のタブーであったという。広義には、そうしたタブーを伴いつつ、人間以外の存在を集団ないしは個人の血縁と見做

なくて、いろんなところに出てきているんだ。日常の中でいろんなところに出てきている。われわれ自身が服一つ選ぶにしても、モードとかファションを選ぶにしても出てきちゃうんだね。その模様みたいなのあるでしょう。女の人の模様みたいなのでも、こういうのも一種変化だと思うね僕は。もう少し身体的にやるとすれば、ヤクザの人間が背中に刺青（いれずみ）を彫るでしょう。刺青もほとんどトーテムの一種なんです、あるいは神話的なものの一つを使っていますよ。弁天さんだとか、あと薔薇の花とか、菊の花とかあるでしょう。あんなの彫っているけど、あの花だってもちろん非常に恐いものなんです。

説明すると、花って何なのかというと、花なんて元々なくて、最初は僕が思うに稲だと思うんです。稲作の稲を持ってきた。それを見て、占いをしたと思うんです。占いって何なんだというと、人生が何とかじゃなしに、そうじゃなくて、この花が実をつけるかどうか。それを見て、実をつけなかったら古代の人間は蓄積できないわけでしょう。みんな飢えて死んでしまう、大変だよ。もしこれが黒ずんで、花が実をつけないような状態だったらポロッと落ちちゃう。みんな、部族全部飢え死にしてしまう。あるいは部族の中で殺し合いが起こったり、様々なひどい状態が起こるだろうと

す精霊信仰をさし、フロイトはそこにエディプス・コンプレックスや神経症の起源を見いだした（『トーテムとタブー』）。

▼21　川端康成　一八九九―一九七二。小説家。菊池寛に迎えられて「文藝春秋」同人となったのち、横光利一らと「文藝時代」を創刊、「伊豆の踊子」を執筆するなど新感覚派の中心人物として活躍。一九六八年にノーベル文学賞をアジア圏の作家としてはじめて受け、自然との合一が日本の伝統的精神構造である等々、オリエンタリズムを期待に違わず活用した受賞講演「美しい日本の私」を行っている。

▼22　「禽獣」　小鳥を飼育する中年男の姿を描いた、昭和

いうことなんですね。稲をもとにしていたんですね、そこから転化したものです。桜の花だったら、稲作の人間たちが稲の勝利みたいなものを歌った時代があったでしょうね。歌った時代につまり桜は花である、稲の勝利を歌った時代、きれいな葉っぱの先についているやつは、これを花という。当然この人間たちは、これが花として顕彰されるようになる過程というのは、ある部族に対する、あるいは縄文人に対する原罪意識みたいなものですね。

あるいは、いつ攻めてくるのか、占いとかを相手にしないようなそういう連中が攻めてくる恐れとかね。たぶん、恐れの方が強いでしょうね。そういうものが花に籠もっている。何の花であろうと、さっきの蛇だとか、鳥だとか、神話作用の強いものと同じ、そういうものに対して、ヤクザな人間、元々真っ当な暮らしをしない、そう思っている奴は逆に素直に反応するんだよね。さっきのことを考えれば、彼らは背中に一篇の小説を書いた、大きな文学を背負っているみたいなものだと思う。

僕の大前提はこういうことなんだ。小説というジャンルは――四回通して話して僕もこういうことなのかなあと考え始めたのは――小説というのは近代の産業革命のあたりで、急激に表現力を拡大した。その時点で、表

八年発表の短篇。鳥の生態を観察し畸形的に育てることを「悲しい純潔」として称揚するフェティッシュな作品。

▼23　ニューメディアを使うことによって収縮してしまう　この部分、中上の意図は読みとりづらいが、第一回講座を念頭に置けば、以下のような文脈に意訳すべきだろう。「小説というジャンルは、産業革命の時代に急激に表現力を拡大したメディアである(日本の場合、漱石や鷗外、一葉らの明治期がそれにあたる――要約者。以下同)。逆に言えば、その時期に発展したメディアである小説は、産業革命期から大幅に機械・手段の進歩した現代とは、かならずしも時代背景との相性が

現力を拡大した故に、今のニューメディアみたいなもの、つまり機械のあまりの進展というのは、小説の産業革命時期とずれを起こして、逆に言うと収縮するみたいになって、ニューメディアなんか使っちゃうと、例えばテレビ、電話と使うことによって、歩いて情報を伝えに行くというより、つまりニューメディアを使うことによって収縮してしまう、▼23世界がね。劇も何も起こらない、そういうことがある。ということは、産業革命の時代に表現力を拡大したからだ、という仮説ですね。

もう一つ今日のトーテムとかの話だけど、小説それ自体は無意識の産物なんだ。つまり無意識を可能にする磁場なんじゃないか、ということなんですよ。ほとんどだから意識的に掘っていけば、もちろん見えてくるけど、意識的に掘らなかったらその通り無意識のまま流れるだろう、ということなんだよな。だから例えば、意識の流れ▼24という試みをしたジョイスなんかね、あれを前衛芸術だとか、前衛的な試みとして捉えていくというのは嘘なんではないかということですよね。表現の新しい形ではなくて、小説というのは無意識の器である。だから深層に流れている意識みたいなものを引っ張り出す。つまり人間の、その中に現われてる神話性だとか、閉じ込められたものとか、それを上に引っ張り出すっていう行為が可能なんです。

よくない。とりわけ、通信手段や移動手段の発達によって（通信・移動にかかる時間が短縮されたことで）世界が実質的に収縮した結果、本来であれば生じたはずの事件もおきなくなってしまう。小説のそのような苦境は、くりかえして言えば、それが産業革命期という、現代とは異質な時代に表現力を拡大したからなのである」等々。

▼24　意識の流れ　ジョイスが作中で用いた表現技法のひとつ。小説を物語の器として考えた場合、そこでは外形的描写や事件などの「物語の進行に有効な要素」が捉えられ描かれがちであり、心内描写にしても、やはり物語の展開に必要なモノローグに偏って

言語の前衛性みたいな形で捉えていくと、ことごとく間違うということです。あと三十分くらいしか時間がないんですけど、総括的に質問を受けつけます。

質疑応答

Q：素朴な疑問という感じでお聞きしたいんですけど、今、無意識の領域の話をされていたと思うんですが、それに言葉を与えると、縄文人としての血とか、神話的な原型とか、初回に話された風景というのでもそうなんですけど、説明し出すとそれなりにもっともらしい形で、言語化されてくるし、ひどい場合だとチャート化されてくると思うんですけど。もう少し具体的に気になっていることで言えば、たとえば中上さんのドキュメントってありますけど、紀州[▼25]とか韓国[▼26]なんかを読んでいると、筆者がというのではなく、読む側が非常にセンチメンタルとかノスタルジックに読んでしまう。そういう仕組みというのはどうしても出てくると思うんですね。結局、言語による固定化ということなんでしょうけども。最後に、小説それ

記述されることになる。だが、ほんらいの私たちの想念とはより散漫でときに無目的なものであり、視線の向かう先ひとつとっても、物語進行とは無縁な諸物を迂回しないではいない——そのような描く側、捉える側のバイアスを極力そぎ落とす手段のひとつとしてジョイスは『ユリシーズ』において、ダブリンで暮らす主人公（ブルーム）のある一日の生活を、彼の意識の流れや行動をひたすら克明に記すことを試みた。

▼25　紀州　『紀州——木の国・根の国物語』（一九七八年、朝日新聞社）のこと。紀伊半島に点在する被差別部落を巡る、中上のルポルタージュ作品。

自体が無意識の産物であるとおっしゃいましたが、そうすると当然、反物語のシステムというか、そういうものが備わっているというか、そういうものを備えなくてはだめだし、当然作家として備えてらっしゃると思うんですけど、現実にそういうものが壊れちゃうときというのはどういうときなんでしょうか。あるいは壊していく方法というのは。

A：それは難しいね。さっき意識の流れのジェイムズ・ジョイスを、手法の実験者としては見ないと言ったよね。それを革新するとか、壊すということはほとんど今のところありえないんじゃないかという考えなんです。反物語を標榜する陳腐な物語というのは、いくらでもあるでしょう。そういうこと言ってもしようがない。僕が言いたいのは、懐深く飛び込むことが一番反物語の行為なんだから、とりあえずはね。懐深く飛び込むということは、つまり最後にミイラ取りがミイラになっちゃう危険性を絶えず孕んでいるんだけど、どっかで僕が言っているように、小説は無意識の器である、ということは、それを意識的に考えていない限り言えないはずなんです。そういうパラドックスもってるんですね。うんと懐深く、覚めきった眼でミイラ取りがミイラにすがるくらいまでの接近戦を繰り返さないと

▼26　韓国　『風景の向こうへ』（一九八三年、冬樹社）所収の「風景の向こうへ　韓国の旅」のことと思われる。

だめだ、そういうことしか言えないね。

破壊する方法は何なのか、神に対して破壊するものは何なのか。まあ具体的に言えば、僕が子どものとき、十七、八くらいまで、マルキ・ド・サド[27]というのが好きだったんだよね。彼は徹底的に観念的に考えて、で、サドがやったことというのは、神に対する延命策だったよね。そういうことで、僕はそんなの見てきているし、これが破壊の方法であるとか、これが反物語の方法であるというより、むしろ意識的に覚めたほうがいい、無意識の器だから意識的に覚めたほうがいい、覚めれば覚めるほど無意識は濃くなるんだよね。そういう方法しか僕は言えない。

Q：日本という国に根底があるというようなことをおっしゃられたんですが、どんな根底なのかというと、根底のように見えるが本当は根底でなくて、その反復みたいなものがどうしてもマイナスとしてしか出てこない。またそれさえも、今かなり解体的なところにきて、逆手にも取れない。だから例えば小説の中の聖的空間といっても、『夕暮まで』の車の中ですとか、あるいは新宿二丁目ですとか、平準化された、部分化されたような形でしかできない。そういう前提のもとに「路地」の解体というのも、お書

▼27　サド、マルキ・ド　一七四〇—一八一四。フランスの小説家。性的虐待によって三十代はじめに死刑判決を受け、逃亡するもバスティーユなど複数の監獄に投獄、獄中で『ソドムの百二十日』を執筆。フランス革命に伴って恩赦・釈放されるも、以降も反革命・猥褻などの罪で逮捕・釈放を繰り返した。『ソドム～』は、公爵・司教・法院長・徴税官といった高貴な公職者たちが十六人の貴族の子女を集めて倒錯的快楽の限りをつくす作品。その意味で一義的には神への冒瀆的テキストではあるが、中上が好んだ「聖と穢の反転」図式からすると、極端な冒瀆は神の至高を逆説的に強化することだ、

きになったと思うんですが、『地の果て 至上の時』は、読んでいて非常に読みづらい文章だと思うんですよね。それで至福感が訪れないというか、物語の懐に飛び込むということなんですが、その飛び込み方を考えていらっしゃるようですが、それをもう少し具体的に聞いてみたいと思います。

A：よく分かりました。僕が今ずっと喋ってきた物語論を元にした小説の書き方、ミイラ取りがミイラになりますよ、という形でしか提示できない小説の書き方、そういう前提から始めたものだから、それは中上の最新の物語論ではないんだよ。これはそういう前提で始まったものだから。それと、新しい物語論というのは、今発見しているというか、今考えているのは、僕は要するに機会の問題だという感じがするんだね。文学というのは、小説が書きづらくなっている、単純な意味で書きづらい。

僕の場合は東京でもこんな面白いとこあったのかという形が、東京で見えているんだけど、それは同時に「路地」というさっき言った、トーテムが絶えず吹き出ているというか、原初の空間みたいなもの、そこのことは何から何まで奇異であって、何から何まで言語空間に移し換えたとたんに光を放つみたいな。そういう状態の場所なんです、「路地」というのは。

とも言える。

それをあえて打ち壊して外に出てきたという、いっぺん要するにエジプトを出てきたんです、僕はね。そういう状態だから、出エジプト[28]というか、そこから出てきたという、そういう形で東京に出て来た。東京に来てその面白さを、もちろん半分嘲笑しながら、半分からかいながらだけど、面白いと感動しているという状態。それは同時に薄められた物語みたいな、そのフェイント現象みたいなものかな、それはそれでいいじゃないかと、自分の面白がり方というのはね。

もし本当にやるなら、ドゥルーズなんかを媒介項にして、あるいは戦争としてもいい、ドゥルーズを外してね。そういうことを考えながら物語を捉え直す。どういうことになるかというと、戦争はまた「遊牧」[29]でもある、そういう形で捉え直す。トーテムというのは、遊牧状態、遊牧の中にいて可能かどうか、その問いは中上だけの問題でもあって、皆さん方が使うとたちまち壊れてしまう。皆さん方にこういうことを書けば小説になりますよ、ということを提示する段階では不適当だから言わない。そういう状態なんです。僕が今一番関心を持っているのは、もちろんやっぱり戦争ということだし、戦争というのを「遊牧」と捉えることですよ。あるいは国家の境を突破する、国家の境を突破するということは、天皇をも動かしてし

▼28　出エジプト　預言者モーセがユダヤ人を率いて、自分たちを虐げる土地エジプトを脱出したエピソード。『旧約聖書』に「出エジプト記」として記述されている。中上は、路地ないしは熊野をユダヤ人にとってのエジプトと見做しているらしく、そうした意識が『日輪の翼』、『讃歌』など、若衆や老婆たちが路地を離れて各地へと向かう後期作品にも反映されているはずだ。

▼29　遊牧　ドゥルーズが『千のプラトー』のなかで提示した概念。ライプニッツ的なモナド（単子＝それ以上分割不可能な最小単位）の安定性・予定調和を拒み、ノマド（遊牧）的な非単一・非線型

てしまうということだし、そういう形ですよね。それが僕にちらっと見えている。多分、いろんな方面で起きているだろうと思うんだけど、僕個人に関してはね。

『地の果て 至上の時』を書いて、今でもあれが一番いい小説だと思っているし、『千年の愉楽』を誉めてくれる人もいるし、『日輪の翼』も誉めてくれたんだけど、『地の果て 至上の時』が一番自分らしくて凄いと思っているんだけど、あれを超える作品はそうは書けないだろう。正直に言うとね、『地の果て 至上の時』のとき、批評は無茶苦茶だったんだよね。悪口を書かれたということじゃなくて、全然読んでもらえなかった。そういうことの失望感というのは、同時に僕はそれで打ちひしがれるんじゃなくて、じゃあ読者が分かるまで叩きのめしてやろうじゃないかという、そういう具合に展開する。だから、今非常にハイな状態で次々に小説を書いている。五、六本集めて、『地の果て 至上の時』で提出した問題と同じになる、そういう状態です。「ブルータス」で、これから一本書くことになっている(『野性の火炎樹』[30])んだけど、ちょうど今「群像」にも書いている(『異族』[31])し、それから角川で書き下ろし(『十九歳のジェイコブ』[32])を、「文學界」にも一本書く(『火まつり』[33])、「すばる」にも長篇の約束をしている(『町よ』[34])。

性を重視する。同書中の「遊牧論あるいは戦争機械」、また先行する『アンチ・オイディプス』でドゥルーズは、部分が全体を内包する国家装置的な(統御された軍隊による)戦争でなく、自己同一性を放棄した種々の諸機械の連結体としての戦争(機械)を思考した。中上がここで語る、国境の無効化と天皇の移動という「遊牧」モチーフは、そうしたドゥルーズの思考のみならず、この講演と同時期すでに連載が始まっていた未刊の遺作『異族』や劇画原作『南回帰船』の設定をも想起させる。一九八四年時点では、両書ともに全文邦訳は刊行されていないが、七七年十月に「エピステーメー」の臨時増

そういう状態で、ほとんど日をかけずに出来上がっちゃうんですよ。何で出来上がっちゃうかというと、『地の果て 至上の時』で出てきた問題というのを、一つ一つ摘み出して、それをこう展開する。多分皆さん方、それを読んだら面白いねって言ってくれると思うけど、それで二、三年はもつと思うんだよね。その後に、『地の果て 至上の時』と同じぐらいの形の、全身で問うみたいな物語が、出てくるだろう。

『地の果て 至上の時』は、ちゃんと日本社会に受け入れられなかった。誉めてくれてもトンチンカンだし、けなしてもトンチンカンだし、アホばっかりでどうしようもないっていう、そういう感じで。あれをきっちり分かってくれる人間、作家たち、そういう状態だったら、それこそドストエフスキーのような作家にもなれるだろうと思う。そういう人間はいないんだよ、この社会にさ。土壌自体、あれを受け入れる土壌はないと、あれをほとんど古典的な小説としてしか読んでいない。カタルシスがなかなか襲ってこない、そういうことだけでも、こっちはこう考えてるんだというね、それを分かってくれない。この孤独感みたいなもの、その孤独感があるから、東京堂という本屋に来て喋ってるんだけどね（笑）。

正直、作家たちの話でも、僕の場合はね、何ていうか、頭が回り過ぎる

刊号として、のちに『千のプラトー』の序文となる『リゾーム』日本語版が、豊崎光一の編・訳により刊行されており、質疑応答で中上もその雑誌に触れている。

▼30 『野生の火炎樹』一九八五年、マガジンハウス。

▼31 『異族』一九九三年、講談社。

▼32 『十九歳のジェイコブ』一九八六年、角川書店。

▼33 『火まつり』一九八七年、文藝春秋。それに先行して同名映画の脚本も手がける。

▼34 『町よ』初出は「プレイボーイ」一九七六年七月号、十一月号、七七年十一月号、七八年五月号、「すばる」八六年二月号、「小説すばる」八八年十二月号。第一エッセ

んだよね。対談をやっても、相手がものすごくバカに見えてくる。相手と喋っていても、絶えず先のことを考えているんですよ。相手はぐだぐだ同じ場所に居るんだよね。そういうことで、作家たちと話しても、ほとんど僕のこと分かってないんだ、考えてないしね。これは、大家までそうですよ、みんなそうですよ。開高（健）▼35さんが、中上さんわてはけなしましたけどな、怒らんといて下さいなと言ってくるんだけど、そんなこと関係ないよね。けなそうとけなすまいと俺は関係ないよ、ちゃんと読んでくれればいいんだよ。読む能力がないわけでしょう。読む能力がないから、同時に僕の小説に関係ないことで、あとで自分が非難されるとか、怯えているわけでしょう。そういうことばっかりだよ、俺の周りはね。正直に言うと、日本文壇の中で俺ほど孤立してる奴はいないと思うよ。こういうことを言うと、たとえば立松（和平）なんか、いつも僕が誉められてるじゃないかとか言うんだけど、そういうこととは違うんだよね（笑）。他にどなたか？

Q：今の話と関係するかもしれないですが、『地の果て 至上の時』というのは、まだまだ論じられていない問題があるんだけど、その後の『日輪の

イ集『鳥のように獣のように』に初収録、後に『中上健次全集8』に収録。

▼35 開高健 一九三〇―八九。小説家。壽屋（現サントリー）宣伝部のコピーライターとして出発、五七年、「新日本文学」に発表した小説「パニック」で頭角をあらわす。翌年「裸の王様」で芥川賞。朝日新聞の特派員として戦時下のベトナムを訪れ従軍、釣りや食をめぐるエッセイも多作。代表作に『夏の闇』、『輝ける闇』、『花終る闇』の三部作がある。

翼』では、今の話で非常によく解読できる場面なんかがあって、それまでフォークナーで言いますと、新宮を思わせるヨクナパトーファみたいな、そこを一つの「路地」というので、極限した場所で物語を展開されていましたが、それが『日輪の翼』で初めて動きましたですね、東京まで行って。例えばフォークナーとヘミングウェイ[36]なんてよく対比されて、図式的に言えば、フォークナーは一つのところに物語を置いて、ヘミングウェイはいつも旅人の目で見るという、非常に好対照なことで知られていますが、その辺で非常に物語の型というのを意図されて、『日輪の翼』以降の世界を考えておられるのでしょうか。

A：それは自覚しているけど、ヘミングウェイやフォークナーという、そういう見方とは別に、自分はフォークナーの影響は非常に強い。フォークナーをむしろ逆にばらばらに解体して、フォークナーの感性みたいなものが、場所とかいろんなものを設定し、ヨクナパトーファを設定し、やっているんだけど、やっぱり農耕的だと思うんですよ。それに対しては非常に不満なんだよね。今度の『日輪の翼』の場合は、元々僕の中に、『岬』[37]のあたりからあった絶対農耕ではない、そういう農耕という土に対する否定

▼36　ヘミングウェイ、アーネスト　一八九九―一九六一　アメリカの小説家。十九歳で第一次大戦にイタリア軍付赤十字要員として従軍、負傷者の搬送中に被弾して負傷・入院。その経験をもとに十年後執筆した『武器よさらば』により第一線の小説家となる。以降もスペイン内乱や第二次大戦にも参加するなど、積極的な行動が特徴。五三年に『老人と海』でピュリッツァー賞を受賞、翌年にはアカデミー賞とノーベル賞も。晩年をキューバで過ごすが、革命を契機にアメリカに戻った。

▼37　『岬』　一九七六年、文藝春秋。同年、中上健次四度目の候補作として芥川賞を受賞。「山々と川に閉ざされ、

みたいなもの、『岬』なんか典型的にそうだったんだよね。バカな奴はあれを農耕的に捉えて、土があるとかと言うんだけど、あるいは思想問題で言えば根底があるとか、根拠があるとか、そういうことを言うんだけど、そういうものから切れている土ですよ、あれはね。その土を掘っている人間たちですよね。それが動いて、『枯木灘』があって、その次の『地の果て 至上の時』で、はっきりそういう農耕的に捉えている世界を、遊牧的に壊しちゃう。そういうことがある。

僕はドゥルーズを読んだわけじゃないんだけど、その当時ジンギスカンというものに影響を受けたんです。ジンギスカンの影響というのは、朝鮮の影響なんです。朝鮮民族、韓国のものの影響です。あれを書き始めたのは韓国でです。そういう人間はいないから、新作を韓国に住んで書き始めるのは僕ぐらいしかいないから。そういう形でやり始めて、つまりアジア的とは何なのかと、世界中に広がっているアジア的なものとは何なのか。それ自体は吉本（隆明）さんたちと同じように、マルクスを使って、アジア的専制がある所は「アジア」である。あるいは交通の途絶化、交通が途絶してしまうのをアジア化としてしまう、マルクスの言ったような言葉でアジアっていうのを捉える。韓国に行って、これは全部間違っている、マ

海にも閉ざされていて、そこで人間が、虫のように、犬のように生きている」土地で、複雑な血縁関係に囲まれて生きる主人公・秋幸の物語で、『枯木灘』、『地の果て 至上の時』にいたる三部作の第一作。

ルクスは間違っていると、そういう感じしたんです。

それはアジアの決定みたいなものは、ジンギスカンじゃないのか。そういう考えに至ったんだけど、稲作民族とかイネとかそういうものはどうでもいいことなんだと、付随するものじゃないかというね。そういうことを考えて、ジンギスカンということで、同時にそういう意識が発展した。それは理屈でいうなら、遊牧という、騎馬民族あるいは遊牧という形で、自分の物語にそういうものが導入されている。僕、書いたあと、浅田（彰）君から手紙貰ったんだ。ドゥルーズと全く同じことを書いている。ドゥルーズは魅力あること書いている、それと全く同じことを書いているからびっくりしたんだ、という手紙を貰ったんだけどね。ドゥルーズは読んでいたけど、特集みたいなもので『千のプラトー』についていろんなこと書かれていたんで、知った程度なんだけど。さらにそれから、今考えているのはもう一歩進んで、遊牧、機械、戦争、三つの命題で考えているということなんです。

それは同時にフォークナーに対する不満というか、ああいう形でフォークナーは南部に閉じ籠もって南部を書き続けた。ただフォークナーと大きく違うところは、絶望的になったのは、日本は要するに決定されてないというかね。天地が決定されてない。例えば「路地」の場合でも、それは決定されてない、宙に浮いた存在みたいなものです。どこが天やら、どこが地やらという、そういう状態で場所があると。「路地」は現実に解体されたんだよ。フォークナーにおいて南部というのは、確固としてあるんだけど、確固としてそれ自体なんだけど、俺にとって「路地」というのは、それ自体じゃないんだよね。決定されていないものが「路地」である。天と地の決定不可能性が路地である。

あるいは別の言葉で言えば、ディコンストラクションされた果てのものが「路地」である。もう一つ別の言葉で言うと、ディファレンスが、差異が「路地」である。もっと別な言葉で言えば、差別が「路地」である。そういう形が俺の中にある。そういうことを、自分はそれを前にして絶望すると。つまり、具体的にそれは『熊野集』[38]の第一部の中で書き留めたんだけど。具体的に「路地」は建物が壊されていく。そういう事態に自分は向い合って、そう思いましたよ。どこの世界の作家で、自分が表現している場所がね、自分の目の前で解体される、ぶち壊される、しかも卑劣な奴らに餌食にされて壊されるのを見て、生きている間に見た奴がいるのか、と思ったよ。

▼38『熊野集』一九八四年、講談社。

▼39 カフカ、フランツ 一八八三―一九二四。チェコスロバキアの小説家。代表作に『変身』、『城』などがあり、現在に至るまでその不条理とも呼ばれる作風で評価が高い。チェコ語の国でユダヤ人の家系に生まれたカフカは、当時ドイツ語を公用語としていたプラハで、やはりドイツ語を商用に用いた父母のもと、ドイツ語を母語として育つ。とはいえ彼の生家は、ヨーロッパでも最大規模のプラハのゲットー内、すなわち十字軍遠征および反ユダヤ暴動以来の差別の歴史のもとにあった。カフカが生まれた時点では、オーストリア憲法下ですでに

だから、例えばドストエフスキーのペテルブルグでも、あるわけですよ、確固として存在しているわけでしょう。それ自体があるんです。フォークナーの南部もあるわけで、カフカ[39]のゲットーもあると思いますよ、今でもあるはずだね。俺はないわけ。それはこの日本の、アジアという場所の日本という場所の、熊野という場所の、あの「路地」だからある。そういう形になってしまっている。そうすると、俺はそれに対して復讐するため、それに対して抵抗するため、さらに読み解いていくためには、吉本さんの言う、吉本さんは根拠地論[40]なんだけどさ、そういう根拠地論をもとにしたものの考え方はできないということになる。根拠地論で読み解いていって、ああいい物語だと読めるというのは、『枯木灘』という小説ですよ。それは「路地」という中空が根拠としてできているから。

根拠地論というのは、赤軍派[41]がやっていたことなんだよ、昔。革命の根拠地を作る、だから連中は北朝鮮に飛んで行ったりしたわけでしょう。そういうことを、僕らは今まで影響を受けてきたけど、吉本さんなんかまだそういうことを言っている。俺は、その根拠地というのは、それすら嘘なんだ、それは駄目だという、そういう具体的現実にぶつかってしまう。そうすると、その根拠地、「路地」というのは、無根拠性に基づくんだ。そ

他の市民と同等の権利が与えられ、役場やシナゴーグ（礼拝堂）などを残して建造物も多くが改められていたとはいえ、カフカの死後一九三九年にナチスの占領下でふたたび迫害が行われるなど、再差別の萌芽は保たれていたと思われる。

▼40　根拠地論　国際根拠地論。日本の国内法では非合法となる闘争を継続的に維持・支援することや、複数の国家における革命運動を国際間で連結・糾合することを目的に、海外の労働者国家に拠点を置くべきとする、赤軍派の考え方。田宮高麿らが日航機「よど号」をハイジャックして北朝鮮に亡命したほか、重信房子らはパレスチナへと向かっ

ういうおかしな所に自分が、こう宙に吊るし上げられる状態だと思ったことあるんです。だからこそ、あのタイトルは「地の果て」であり、「至上の時」であるわけなんですよね。だから、本当はその次が書きたかったんだけど、ちょっと俺はもう一歩も二歩も後退してるということは、今自分で充分わかっていますよ。

だからフォークナーの話だけど、今の時点でフォークナーのように書くことはないだろう。それはヘミングウェイの意識でもない。ヘミングウェイは宙に吊るされたわけでなくて、確固としてあるキーウエストという所でね、フロリダの先の非常にいい所なんだけど、そのキーウエストという所で魚釣りをやってられるんだよね。ところがヘミングウェイは見えなかったけど、キーウエストの先にはコロンビアがあったりするわけでしょう、ラテンアメリカがあるよね。そういうのが見えなかった。だからそれともやっぱり違うよね。他にありますか。これを機会に聞いておこうと。ないようでしたら、以上をもちまして僕の連続講演は終わります。

（一九八四年六月四日、東京堂書店神田本店六階文化サロン）

て解放人民戦線と合流した。重信は二〇〇〇年十一月に大阪府高槻市で逮捕（旅券法違反）、二〇二二年五月に刑期満了で出所した。

▼41　赤軍派　戦後日本の新左翼諸党派中の最過激派。一九六〇年の安保闘争を主導したブント（共産主義者同盟）の最左派として、六〇年代後半の学園紛争の終結と相前後して一党派を形成、軍事訓練や交番襲撃を行うなど、武装闘争路線をひいた。七〇年代に結成された連合赤軍、日本赤軍の母体となった。

ワープする物語の魅力

〈音のバイブレーション〉の向こう

どうも、中上です。講演はあまりうまくないのです。

今日はどうなるか、今日はもうちょっとましみたいな気がするんです。さっき、大久保（典夫）[1]先生から、紹介していただいたのですが、僕は十八くらいで東京へ出てきまして、ほとんどすぐ「文藝首都」に入ったんです。さっき、大久保先生がおっしゃった、歌を歌ってた三十いくつくらいの年増の女性というのは誰だろうなあ、と考えるんですけどね。ひょっとすると、原爆小説を書いてる、林京子[2]さんとか、皆さん御存知ないかも知れんけど、群像新人賞をもらった、非常にきれいな小説を書いた小林（美代子）[3]さんかなあ、と思ったりしたのですが……。いつも酔っていて、酔ってると、その、小林美代子さんの膝枕で寝た覚えがあるんですけど、ひょっとしたら……。

そのころ、僕は、小説を一年に一本くらいしか書いていなかったんです。ほとんど、僕の生活というのは、新宿へ出て、モダンジャズ喫茶店でジャ

▼1　大久保典夫　一九二八年生。日本近代文学研究家。著書に『昭和文学の宿命』など。一九六六年に雑誌「日本浪曼派研究」を創刊。

▼2　林京子　一九三〇―二〇一七。小説家。上海からの帰国後に長崎で被爆した経験をもとに、『祭の場』、『やすらかに今はねむり給え』ほかの作品を発表、大江健三郎らと日本原水爆被害者団体協議会刊行の『「あの日」の証言』の英訳運動にも参加。「文藝首都」同人。

▼3　小林美代子　一九一七―一七三。小説家。精神病差別の様相と自身の入院体験を記した『髪の花』により五十四歳で群像新人賞を受賞、その二年後に自死。

ズばっかり聴いてたんです。ジャズは一番おもしろいんだっていう感じがあったのです。そのころ小説家になる気もなかったんです。小説を書くということがそんなに切実な気持ちではなくて、自分の持っているものをジャズっていうものによってぶち壊してしまう、という、そういう衝動だけが強くて、毎日毎日、ジャズを聴いてたんですね。

と言うのは、さっき、大久保典夫さんからスッパ抜かれたんですけど、昔、コーラスやってました。ジャズ以前は、クラシック音楽みたいなのがとっても好きだったんです。それで、中学卒業するときに音楽の先生から、ピアノを教えてやるから音楽学校を受けないかって言われて、親父とかおふくろ[4]に相談したんですけどね。ところが、土方の親父で、ああいうおふくろですからね、何、馬鹿なこと言ってんだって言われましてね。それで、あきらめて、新宮高校へ行って、コーラス部へ入ったたって記憶があるんです。

ただ、そのとき、多分、僕に自分の世界というのが二つあったと思うのです。一つはおふくろとか親父の持っているような世界で、それは非常に土俗的な、土と向かい合って、あるいは一種、虫のように生きてゆくみたいな、そういう世界だったと思うのです。それが、多分、嫌で、クラシッ

▼4　親父とかおふくろ　親父→中上七郎（実父ではなく、母の再婚相手）、おふくろ→実母・中上ちさと。いずれも故人。ちなみに「中上健次新年譜（増補・決定版）」（髙澤秀次『中上健次集五』所収）によれば、十五歳にして「合唱部で頭角を現し、教師から東京で音楽の専門教育を受けるようにすすめられ」た中上は、新宮高校入学後も合唱部に所属、「主にラテンのミサ曲を練習、テナーを担当する。県の合唱コンクールの課題曲を初見で正確に歌い、周囲を驚かせた」という。

ク音楽みたいなことを、一種自分を異化するみたいな形で、やってたと思うのです。

それが、東京へ出てきたわけです。突然、十八で、卒業式出ないまま、家出同然みたいな形で出てきたのですけど、ジャズ聴き始めて、そのジャズというのが自分の持つ、自分の好きだったクラシックみたいなものをぶち壊す作業みたいなものであったのじゃないかって気がしたんです。ジャズを毎日聴いてまして、こういうものこそ、本当の音楽なのではないかと思ったわけです。自分がバラバラになっていくような感じでした。

コルトレーン[▼5]というジャズのアーチストを好きでして、それ聴いていたんです。そのコルトレーンに自己を最大限に投影するという聴き方だったのです。例えば、マイルス・デイビス[▼6]なんかと組んでやってる初期のコルトレーンは、非常にコードに則った、スウィングしているジャズなんですが、それが次第に、自分自身の方法を見つけて、音をさぐりすすめて、晩年のほうのジャズになると、ほとんど、もう普通のスウィングするジャズということから飛び越えてしまった、バラバラに分解してしまったようなジャズになってくる。それは、多分、コルトレーンが、音の根源というの

▼5 コルトレーン、ジョン　一九二六―六七。アメリカのジャズ・サックス・プレイヤー。二十九歳でマイルス・デイビスのクインテットに加わった。主要作品に「ソウル・トレイン」など。

▼6 デイビス、マイルス　一九二六―九一。アメリカの作曲家、ジャズ・トランペット奏者。裕福な家庭で育ったのちニューヨークのジュリアード音楽院で学び、十九歳でデビュー。主要作品に「クールの誕生」、「カインド・オブ・ブルー」など。

は何なのか、あるいはまた、ジャズをジャズたらしめるものは何なのか、というところまで問い詰めて、問い詰めて、その先に行きついたところだったとも思ったのです。

　例えば、サックスで言うなら、サックスを吹く時間というのは、多分、何分も吹けない……ブレス、息をしないで、吹き続けるのは、まあ、三分もてばいいほうでしょうね、え？　もっと吹けるのかな？　ブレスだし……、もうちょっと短かい？（笑）多分サックスを吹く人間というのは、コードの向こう側に行こうと思うと、可能な限り、肉体を破壊するまでという状態と間断なく向き合うわけです。……破壊の先……つまり、サックスというのは、人間の呼吸する息によってコードが定められる、ということに行きつくと思うのですが、それを越えるには、もっと先まで、もっと吹かなくちゃいかんという、それこそ、一種絶望的な所に見舞われてゆくものだと思われるのです。音の破壊というのはそのまま肉体の破壊みたいなものでもあるだろうと思うわけです。ピアノなどと違うんです。音を出すことは直に、身体に還元されるような不自由な楽器ですね。それを、僕は、さながら、我がことのように思って、そのジャズに共鳴したわけなんです。それで、そのコルトレーンが僕らが一生懸命熱狂して聴いてるときに死んだのですけどね。

その後に僕が、非常に注目したっていうのは、アルバート・アイラー[7]という、やはり、アルト・サックスを吹く人間なんです。そういう、コルトレーンとか、アルバート・アイラーのジャンルをフリージャズ[8]というのですが、そのフリージャズの中で、非常に優秀な、才能あるやつが現われたと思って、毎日毎日聴いてたんですね。ほとんど本当に、毎日毎日なんです。

それで、あるとき、二十四くらいかな、二十四くらいのときに、僕は、突然、こういう生活間違ってるんじゃないか、と思いましてね。ちょうど、今の女房[9]なんですけど、結婚しましたこともあって、突然、働きに行ったんです。最初は、日野自動車の期間工に行ったのですが、そこで一ケ月過ごして、それから、羽田の貨物の現場に入れてもらったんですけどね。それで、ジャズと、コルトレーンとも、アルバート・アイラーとも切れたわけなんです。

で、それもだいぶ経ってあとから知ったのですけど、ちょうど三島由紀夫[10]が死んだときに、コルトレーンが[11]、三十一か二で、やっぱり死んでるん

▼7　アイラー、アルバート　一九三六―七〇。アメリカのジャズ・サックスプレイヤー。一九六〇年代フリージャズを牽引し、三十四歳の若さで、三島由紀夫とおなじ七〇年十一月二十五日に他界した。中上は七九年に「青春と読書」（集英社）で「破壊せよ、とアイラーは言った」という題のエッセイを連載し、その直後に家族を連れてアメリカへと移住している。

▼8　フリージャズ　オーネット・コールマンのアルバム「フリージャズ」以降広まった、西洋音楽的な枠組に依らないジャズ。コールマンはピアノを用いないことで音階から逃れ、アイラーたちがリズムを離れ、コルトレーンが

ですよね。同じ日なんです。非常に不思議なことなのですけど……。そういうこと考えまして、自分のジャズというか、音楽に対する思いつめたものを、まず最初に自分が裏切ってしまったという気持ちと、それから、自分が惚れた人間というのは全部死んでしまうんだっていう、何かやり切れないような気持ちとが、音楽について喋るときにいつもあるんです。

それは、ボブ・マーリー[12]という人間についてもそうなんです。――僕は実はほとんどもう、モダンジャズのことは言わなくなっているのですが、あまり、発表もしたくないし、ただ、過去形で語るっていうのは、過去形で語るしか仕方のないものだという認識があるせいですが――。そのジャズのあとで、非常におもしろい音楽のジャンルとして、ジャマイカのレゲエというものがあるんです。そのレゲエの、ボブ・マーリーのレコード聴きまして、最初ものすごくびっくりしたんですね。というのは、これも二つの世界の問題なんですけど、所謂、音楽的なものと、それと同時に土俗みたいなもの、つまり、土から今湧き上がって来てるもの、それが、ものすごく融合されて、非常に強い力になって混交されている、という形を持っているわけです。ジャズにいかれる前に、レゲエというジャンルに自分が出会っていたなら、多分、レゲエに、最初に熱狂的になったろうという、

「モード奏法」でそれらを加速させた。

▼9　女房　紀和鏡（本名・中上かすみ）。一九四五年生。小説家。八五年に『Aの霊異記』でデビューし、『日本霊異記』や『太平記』をベースとした伝奇小説を多くあらわす。『夢熊野』では、源為義の娘で源頼朝の叔母、熊野別当・行範の妻であった丹鶴姫の生涯を、熊野を舞台に描いている。

▼10　三島由紀夫　一九二五―七〇。小説家、劇作家。十六歳で清水文雄らの同人誌「文芸文化」に処女作「花ざかりの森」を発表、保田與重郎に知己をえて日本浪曼派の影響を受けつつ、小説を書き始める。戦後、川端康成への

そんな音楽だと思ったんです。

ボブ・マーリーが中心的に引っぱって行ったレゲエは、その後、今ではコマーシャル化して、例えばロンドンとか、そういうとこで、パンクという音楽のジャンルと一緒になったりして、今の音楽シーンの中で、非常に強い力で影響を与えているんです。

その、ボブ・マーリーも、二年半くらい前に死んだんです。ちょうどソウルに滞在してたときに、ボブ・マーリーが死んだということを知ったんです。その死を知ったときに、ああ、自分がいいと思った人間というのはやはり、死んでしまうのだ。僕自身のテレパシーみたいなのをあいつは受けたんじゃないか、と。惚れたのが悪いことだったみたいな気がした。僕の霊気を受けて、結局、早く死んでしまったのではないか、そういう気がしたんです。

というのは、僕は、ボブ・マーリーに会ってるんです。[13] ちょうど、僕がロサンゼルスに居たときに、日本の「週刊プレイボーイ」の記者から誰かにインタビューしてくれと言われまして、それなら、今ボブ・マーリーがサンフランシスコにツアーで来ていると聞いていたので八方手を尽しましてね、ま、インタビューに行ったんです。二人で話してることは、多分、

師事を経て『仮面の告白』で注目を浴び、『潮騒』、『金閣寺』などで評価を得た。以降、肉体と文体の改造を求めつつ海外での評価も高めながらも、『憂国』や『英霊の聲』など次第に政治的なメッセージを増し、民兵による本土防衛構想の端緒としてみずから自衛隊に体験入隊、『文化防衛論』などを経て「楯の会」を結成。その会員たちと七〇年、自衛隊市ケ谷駐屯地に侵入し隊員の決起を促したのち、割腹自殺を遂げた（三島事件）。

▼11 三島由紀夫が死んだときに、コルトレーンが　前記のとおり、三島とおなじ日に死んだのはアルバート・アイラー。没年齢からいっても（コルトレーンは四十一歳、

もう、普通の人には全然解らないことなんです。というのは、二人で会うなり、さながら、一種の神がかりみたいになりましてね、要するに神様のことばっかり話してたんですね。ボブ・マーリーの言う神様というのは、一神教の神様ではなくて、なんかこう、ぐじゃぐじゃな神様……（笑）。で、僕も、神様というのは、キリスト教みたいなのでなくて、それこそ、八百万（やおよろず）の神の、そこから来た、山川草木が神である、みたいな、そういう認識持ってますからね。そういうことばかり話したんです。それが二人の音楽の話だったんです。それから、三年後ですか、彼は死んだんです。

言ってみれば、自分の好きなジャンル、ジャズにしても、レゲエにしても、陰惨と言おうか、悲惨と言おうか、そんな記憶しかないんです。それで、今でも原稿書けなくなったり、それから、何か人生に絶望するようなことがあったら、レゲエとか、そういう、非常に忙しい音楽をかけます。

で、皆さん、音楽の種類、日本の音楽も含めてですけど、音楽の種類を、いろいろ、あげてみていただきたいのですけど。今言ったのですが、ジャズとかレゲエとか、それから、例えば、アルゼンチンには、タンゴというのがありますね。それから、スペインには、フラメンコというジプシーの

アイラーは三十四歳）、ここはアイラーの言い間違い。

▼12　マーリー、ボブ　一九四五―八一。ジャマイカのレゲエ・シンガー。レゲエの代表的ミュージシャンとして一九七〇年代なかばから活躍。主要作品に「I shot the Sheriff」など。

▼13　ボブ・マーリーに会ってる　『アメリカ・アメリカ』（一九八五年、角川書店）所収インタヴュー（無題）。

音楽があります。それと、ラテンアメリカの方には、そのフォルクローレ[14]っていうのが、非常におもしろい陽気なものとしてありますよね。それから、ブラジルには、サンバ[15]というのがありますね、で、そういう音楽を僕はかけるし、それから、最近は韓国に行ってきてから韓国のパンソリとか、農楽[16]とか、そういう音楽を好きなんです。そういうものを、かけるんです。

実はそういう音楽を一まとめにして何か見えてくるか、と言えば、これらの音楽っていうものは、言ってみれば境界線の向こうに生まれた音楽なんです。境界線と言うのは、何ですかね。……東京で言えば、川向こうと言うのですかね。あるいは、一般的な名称を使えば、ゲットーと言うのですか、そういうところで、生まれてるわけです。

例えばサンバ……。ブラジルのサンバなど典型的です。ブラジルの黒人たちの、スラムというか、ゲットーというのが山の斜面にずっとあるのですけど、そこで、その、サンバスクールとか、音楽のサンバを、サンバなくしては生きていけないような人間たちが住んでるんです。

その、……(講演開始のころから降り出した雨が、だんだん雨足を強め、雷鳴がひびく)境界線の向こう側から来たもの、つまり、これは音楽なのですけれども、それが、僕には、今の自分を生き生きとさせる、蘇らせる、そ

▼14　フォルクローレ　ラテンアメリカの民族音楽。一九七〇年代、サイモン&ガーファンクルによってアンデス地方の「コンドルは飛んでゆく」がヒットしたほか、「太陽の乙女たち」などがある。もとは民族伝承を意味した「フォークロア」が、スペイン語化したもの。

▼15　サンバ　アフリカ系奴隷労働者たちの音楽と、現地の伝統音楽とが混じって生まれた、ブラジルの民族音楽。ほんらい将軍が踊って歌う性質のものではない。

▼16　農楽　韓国の、農村で奏でられる民俗音楽。もとは地方ごとに様々な名で呼ばれていたが、第二次大戦時の日本の占領軍が、自分たちの国

ういう音楽である、ということなのです。

で、その思いを引っくり返して考えてみますと、どうしてそういう音楽が、生き生きとさせるのか、そういう命題が浮かびあがってくると思うのです。単純に言えば、この日常みたいなものに対して、音楽をかけると、僕がここで喋ってる間に音楽をかけると、全部、ガラッと雰囲気変わると思うのです。それは一体何なんだろうと考えるわけですよね。多分、それはこの〈日常〉と言うのですか、柳田（国男）なんかが言う〈ケ〉の世界に対して、音楽一つかけることによって、〈ハレ〉の世界がある、血が湧き立つような世界……、そういうものが突然登場する、そういうことの不思議さなんです。

それが――このあいだ紀伊國屋ホールでの講演[17]のテーマで、こんなふうに訥々（とつとつ）と喋ったのですが――〈音のバイブレーション〉というものの持っている意味なんだろう、と思うわけです。今日はその、音というもの、バイブレーションというもの、それがさらに、どこへ向かっているのか、ということを話してみるとどうなるのか、ということなのです。

楽と区別する意味で、「農楽」と名づけた。管楽器と打楽器による、三拍子を基本とした吹奏音楽。

▼17　紀伊國屋ホールでの講演　一九八三年五月二十日、東京・新宿の紀伊國屋ホールで行われた講演「小説のヴァイブレイション」のこと。『中上健次発言集成6』所収。

流浪者の物語のほうへ

つまり、単純に言いますと、あるいは結論のようになってしまうのですが、境界のこちら側に、来るもの（再び雷鳴、しばし沈黙）……なんか、（天が）怒ってるんですよ（笑）。その、境界のこちら側に、ああいう、ワープして突然侵入してくるものっていうのはね、つまり、それは音楽であろうと何であろうと、ま、今、ここで喋ってるのは音楽ですけれど、我々の感性みたいなものを異化するんです。その異化する方法、どういう形で異化するのか、その過程の中には、一種、錬金術▼18のようなもの、あるいは冶金、……つまり、鉱物的な装置みたいなものを通るのではないか、ということなのです。それが今日、〈音のバイブレーション〉の向こうに見えるような話の続きになるのですが、それを論証するというのは、とても難しいのですけどね。

つまり、向こう側というのは、文学のコードとか、民俗学の話に戻しますと、〈異界〉とか〈他界〉とか、あるいは〈常世▼19〉とか、そういうもの

▼18　錬金術　中上がこの小見出し前後で語っている事柄、すなわち「ケの世界に対して、音楽がハレを現出させる」、あるいは「境界のこちら側に突然侵入してくるものが、われわれの感性を異化する」という考え方はむろん、柳田民俗学的な「ハレ・ケ」の概念や人類学者の山口昌男が語った「トリックスター」を想起させる。だが、「錬金術」、「鉱物的な装置」といった表現は、どちらかというと『千のプラトー』等における生成変化のイメージに近く、当時の中上へのドゥルーズの影響が想像される。

▼19　常世　少名毘古那神（スクナビコナ）が大国主（オオクニヌシ）とともに国

になると思うのです。この向こう側というのは、又、結論だけみたいになってしまうのですが〈非定住〉とか、或いは、〈反定住〉とか、定住しない、あるいは、定住できないという、そういうものの謂なのではないかということなのです。もう一つ、これも、結論だけのようになってしまうのですけど……（笑）、農耕的感性に対する、一種、遊牧的な感性、と言えるのではないかと思うのです。

実は、昨日深夜、明日講演会があるけど、あんた原稿書いたのって、女房に怒られたんですよね（笑）。ちょうど女房も「文藝首都」の仲間だったのですけど、で、どうも自分の原稿だけじゃ食っていけそうもないから、それに、買いたい物もいろいろあるんですよね、ワープロとかね、それから……（笑）。ところが、今の原稿の量とか、お金とか、そういう物で買えそうもないと。お前は昔、小説も書いたことあるんだから、一遍、そういう推理小説でも書いて、江戸川乱歩賞でも応募したらどうか（爆笑）。あれは確か一千万くらいだったんじゃないか、ワープロはすぐ買えるからというわけで……。それで、喋ったんですよね、江戸川乱歩賞に当選するにはどんなふうに工作すれば良いのか、と女房に聞かれて、女房も真面目

造り（クニツクリ）を行ったあと、海を渡って去って行った先。谷川健一『常世論』によると、それは水平線の彼方に対する憧憬と死とが交じり合ったもの。沖縄のニライカナイとも、補陀落渡海、浦島伝説ともつながる。一般には仏教の「浄土」に対応する他界観を象徴するのが、古神道系の概念「常世」である。

に考え始めましてね（爆笑）。それで、じゃ俺が、プロットを出してやる、ということで考え始めたんです。選考委員とか、読者をうんと恐がらせないと、絶対当選しないだろうと……。で、我々の一番恐いものは何なのだろうと、考えたんですよね。要するに一つ言えることは過去のもの、過去から自分にむかって来るもの、あるいは忘れてきたものから自分に、お前こんなもの忘れてきたよ、と言われること。それから、もう一つは多分流れて放浪する者、流浪する者、というのは恐いだろうと思ったのです。

ところで僕は八王子の建売の一画に住んでいるのですが、たとえ作家であろうと、小説家であろうと、普通はああいう建売の一画に居ると、さながら、小市民のような顔をして住んでいるわけなのですけれども、過去に何も、それこそマリファナも吸ったことありませんとか、覚醒剤もやったことありません、という顔で、非常に善良な市民のように、そこで暮らしているんですけど……。小説家っていうのは違うんですよね。

ま、こういうこと、皆さんに言っていいかどうかわかりませんけど、例えば覚醒剤の話しますとね、安岡章太郎[20]さんが、俺は昔、覚醒剤やってたんだ、ヒロポンもやってたんだ、と。お前なんか覚醒剤の小説をいっぱい書いてるけど、全然わからんだろう、と自慢するんです。覚醒剤、昔は飲

▼20　安岡章太郎　一九一九—二〇一三。小説家。大学在学中の一九四四年に満州に軍人として送られたが、翌四五年に帰還。病床生活を経て「ジングルベル」、「ガラスの靴」などの作品を発表。「悪い仲間」で芥川賞。代表作に『海辺の光景』、『流離譚』など。遠藤周作・吉行淳之介、庄野潤三・小島信夫などとともに、山本健吉らによって「第三の新人」と名づけられた。

んだらしいんですよね、タブレットみたいなのがありましてね、薬局で売ってたというんですな。それで、その覚醒剤を飲んで、しばらくすると、なんかボーッとしてるんだけど、あるとき、脳みそが、上の方からずーっと降りてきましてね、自分の頭蓋骨の中にガシッとはまるんだ、と……(笑)、それで、俺はものすごく冴えた、と言うんですよね。河野多恵子[21]さんもやってた。私は、ただへーっと驚くだけ。昔は、禁止されてませんでしたからね。作家っていうのは、反体制的な行為っていうのが好きなものなんですけど……。ま、そういうことを全然、知らない、というふりをして、日常は暮らしてるわけなんです。

そういうときに、やっぱり、過去から声をかけられる、あるいは、過去から過去に忘れてきたものを届けられる、というのは、一番恐いだろうと……。あるいは、定住者として暮らしてるなんでもない日常を、流れ歩く者がヒュッとこう窓から覗きに来る……。そういうのが非常に恐いのじゃないか、と思って、絶対それを書け、それを書いたら一千万は、私の物だと……(笑)。それは一体何だろう、と考え、多分、それは、猿廻しじゃないかと、解いたわけなんです。

その猿廻しというのは、これは突拍子もない思いつきなのですけど、猿

▼21　河野多恵子　一九二六―二〇一五。小説家。「幼児狩り」で注目され、芥川賞（『蟹』）、女流文学賞（『最後の時』）をはじめ、華やかな受賞歴とともに現在に至る。主な著作に『みいら採り猟奇譚』、『回転扉』など。中上の死の直前に、「早熟の作家でありながら、同時に大器晩成型の作家であろう」とのオマージュをささげた。

を使って猿廻ししている、知ってますか？ 見たことないでしょうからね。話が飛んでいくみたいなのですが、僕は紀州の和歌山県の新宮っていう所で生まれたんですよ。新宮というのは、熊野三山の一つなんです。三山というくらいで、新宮、本宮、那智って三つあるのですけど、中世の頃から熊野信仰のメッカとも言えるところなんです。ここには熊野比丘尼▼22というのがいまして、これはもう中世のこと勉強して頂くと、すぐ出てくるのですが、昔は多分、きちんとした巫女さんだったのでしょうが、それがいつの間にか流浪者の身になって、熊野のお札を売り歩く。そうしながら熊野信仰を多分説いていきもし、いろいろな有り難い話もし、同時に、熊野比丘尼ですからね、女ですからね、私はかくかくしかじかの身分だ、と、そういうお札を渡したとしても、それは、言ってみれば、自分のプライドみたいなものを守るためで、正直言うと、ひょっとすると、売春婦だったかも知れませんよね。言ってみれば、聖なるものと、汚れたもの、身の穢れの多いもの、そういう二つが合体となった、熊野比丘尼というものがいる所なんですけど……。

　熊野比丘尼がお札を持って来たという、その熊野信仰の中心だった本宮に最近すぐ傍の、請川というところに、猿廻しの本拠地があったというの

▼22 熊野比丘尼　南北朝から室町期に、「観心十界曼荼羅」ほかの曼荼羅を絵解きし、ひとびとに熊野への喜捨や帰依を薦めた、女性修行者。牛王宝印と呼ばれる、厄除けの護符を売り歩いた。熊野信仰の衰微とともに、遊女へと転じた者もいたという。

です。それを聞きまして、ものすごいショックでしてね……。というのは、熊野とか和歌山に関して、紀州に関して、多分僕以上知ってる奴はいないだろう、というくらい、いろいろ勉強したり、歩き廻ったりしてて、自負みたいなものを持っていたのですけど、突然そこに、自分が知らなかった、けれど、ものすごく大きな、文化的な芸能的な、歩く文化の伝播者というのですかね、そういうものの、本家といいますか、元締めがあったという、歴史的なものに出くわしまして、すごいなあとびっくりしたのです。自分で紀州をまだ、充分とらえてないのだなあと、反省したのですけど……。猿廻しというのは、非定住者、あるいは、反定住者ということの象徴として、ま、それを書くと、おもしろいよって女房に言ったのです。

多分、そういうものが、彼方の、向こう側の世界だと思うのです。それが、ゲットーとか、スラムとか、単にそれだけではなくて、自分たちと違う感性の持ち主が住む、違う世界ですね。一方に我々の世界認識があるとすれば、その向こう側というものが違う世界のもの、と認識されると思うのです。そのような、ある境界みたいなものが、我々の中にあると思うのです。その境界というのは、例えば、僕だったら、自分の居る、自分の定住してる、その意識の向こう側だと思うのです。ですから、僕が普通市民の仮面を被って暮らしてると、その意識の向こう側に〈彼方〉が出てくる。多分その〈彼方〉みたいなものが、鉱物とか、音楽とか、物語とか、我々を異化する、我々の日常みたいな何でもないものを突然、ガラッと変えてしまう、そういう装置を持つものなのではないか、ということが言えると思うのです。

　その鉱物というのを、ちょっと僕、自分でも解けないんですよ。これは、直感みたいなものですが、例えば、全然ばらばらに話しちゃってるんですけど……（笑）。例えば、物語の中で、どなたの物語を考えて頂いてもいいのですが、その中に、例えば、蛇を入れるんです。大体、蛇なんていうものは禍々（まがまが）しいものなのですけど、恐いものですよ。最近テレビなどで、爬虫類の生態なんていうと、気持ちの悪いことばかりやっていますが、ああいうものが物語の中に登場すると、何でかわからないのだけれど、物語が、俄然おもしろくなるんですよね。これは、本当に、直感でしか言えないのですけど、これは鉱物とか、音楽とか、物語とか、〈彼方〉にあるものと、ひっかかってくるのではないか、ということがあるのです（雷鳴）……え、こういうとき、物語の作者は何と言うかというと……（爆笑）、つまりこう、空の上で、それこそ、大きな蛇、まあ、龍ですよね、龍がのたうってて……、喜んでるんじゃないかと……（笑）そういう気がするのですけど……。だから、物語の謎、あるいは、彼方からの謎、あるいはこの、バイブレーションの、意味なのじゃないか、と。バイブレーションというものが作り出す、最初の流動体のゾルのような状態、ゾル状態の原基なのではないかと。それが、音楽に行ったり、物語に行ったり、様々なものを作っていくのではないか……ということなのです。

〈うつほ〉からの響き

さっき僕が聞いてる音楽をいろいろ挙げたのですが、ジャズとかレゲエとかタンゴとか、フラメンコとかサンバとか、それらのものをもう一つ別な観点から見るのには、円を描いてみるとよいと思うのです。これがどういう所なのかと言いますと、例えば、それをさっきの我々の定住者の側の世界認識、宇宙認識とは、多分こういう円のようなものだろうと言ったのですが、今度はその、定住者の側の視点を抜いて物語というものを、あるいはその音というものが、一体どういう所に源泉を発するのかと問うのです。そこは疑似神話空間であると取ってもいいと思います。これを一番わかりやすく言うならば、〈彼方〉というものですが、それは疑似神話空間であり、被差別空間であり、これこそが物語を創り出す最初の空洞といいますか、場所といいますか、最初の虫喰いの穴みたいなものだといえると思うのです。

『竹取物語』のようなものを考えて下されば一番わかると思うのですけれど、竹の中に、かぐや姫はいるわけですよね。かぐや姫というのは、日常から言えば、あんな小さなそこで光りかがやいている子供ですよね。それがそこにいるという、これは非常に異様なんです。そこに、最初に入っている、という、この『竹取物語』が非常に、僕等の物語とか音楽とかいろいろなことを暗示してくれると思うのです。それを『竹取物語』という、そこでも大胆に出てきているのですけども、空洞、これは〈うつほ〉というものですかね。これは何度も言うことですが、最初の穴ぼこだと思うんです。穴ぼこというと、例えば、おふくろの、つまりおっかさんの腹の中が現実では最初の穴ぼこですが、神話では卵ですね。物語になって、『宇津保物語』は木の穴、『竹取物語』だったら竹の筒の中に主人公が入っていたということですね。

『宇津保物語』では、わざわざ〈うつほ〉の中に入りに行ってるわけなんです。これは皆さん、御存知ですかね……。その藤原仲忠というのが、俊蔭の娘、つまり仲忠の母親ですが、その、親父のいない、一種私生児の状態で育った仲忠が、おふくろを連れて北山の〈うつほ〉という洞穴の中に入っていくわけです。そこで物語は、熊が食べ物を運んできたりそれに助けられて、そこで暮らすという。この『宇津保物語』って、ものすごくおもしろいと僕が思うのは、この〈うつほ〉の中で琴をひいているんですよ。これはさっきの境界の向こう側、つまりレゲエとかジャズとかタンゴとかフラメンコとかサンバとかいう、強い力をもつ音楽がどこから生まれるのか、そのことをあらわしてくれる物語でもあると思うのです。

この〈うつほ〉の中で琴をひく、つまり疑似神話空間の中で音が生まれてくる。音とは一体何なのか。バイブレーションって一体何なのか。そう突きつめていくと、本当に、神話とかあるいは宗教とか、人間として絶句するしかないようなところまで、音というのは僕等の認識を導いていって、少々の認識みたいなものをひっくり返してしまうんですけど……。そういうものが異界に、この〈うつほ〉の中にあると思うのです。

もうひとつ、僕、今日はどうしても話したいのですけど、つまり、〈彼方〉というものが、皆さんにおける世界認識と違って、物語上の認識においては、〈うつほ〉の状態をしているということです。普通の状態でいると、自分たちは円の中にあって、その向こう側が〈彼方〉であるということなのですが、物語の中では一種の〈どんでん〉がありましてね、物語の〈彼方〉というのは大体〈うつほ〉の形をしていると……、普通の世界のほうが外側にあるのだということなのです。それが、原型的にある、ということを言いたいのです。

それは、物語の登場人物たち、あるいはまた物語と同じような、日常に対して異化効果をもつだけの力を持った音楽というもの、それが、〈うつほ〉から出てきている、ということなのです。

「みなし児・私生児」という原型

もうひとつ、皆さん方に沿うならば、物語を読む上で、あるいは小説を読む上で、ちょっとだけ話したいことがあるのですが、パターンがあるんですよ。例えば、主人公は、原型的に、みなし児・私生児なんです。例えば、キャンディ・キャンディ[23]がそうである（笑）、みなしごハッチ[24]がそうであるように、そういうものなんです。まあ、僕の小説、「竹原秋幸」もやっぱり私生児の状態で、もう少しいきますと、例えばキリスト教のイエスにしても、言ってみれば、私生児の状態ですよね。親父がふがいないみたいなね……。そのことが何なのか、どうしてそういうことが起きたのだろうということを考えたいのです。

それは、ひょっとすると、〈彼方〉のものだと追いやってしまったものの名残りなのじゃないか、という気がするのです。これはまあ、原型的なことなのですが、物語というのは結局、この原型が出てしまう。どんなふうに現代的な扱いをしたとしても、全部、原型が浮き上がってしまう。それはどういうことかと言えば、僕等が日常生活の中でそんなことあり得ないと思っている、日常とはちがうひっくり返されたもの、つまりさっきから僕がずっとしゃべっている〈彼方〉のもの、それが小説の中、あるいは物語の中では非常に露骨に浮き上がってくるということです。

例えば物語の主人公は、これは検証抜きに言うのですけども、みなし児・私生児なんです。みなし児・私生児であるということは、そうでなけ

▼23 キャンディ・キャンディ　孤児院で育った少女の成長を描く、いがらしゆみこ作画、水木杏子原作のコミック。七〇年代後半に、コミックおよびアニメが大ヒットした。

▼24 みなしごハッチ　タツノコプロ制作の、テレビアニメ。母親と生き別れたスズメバチの子供が、育ての親のもとを離れ、本当の母親を探して旅をする。

れば物語はおもしろくないんです。なぜなら、まずその始源は日常のものではなく、〈彼方〉のものと通底しているからです。で、〈彼方〉のものは、どんなふうに類推できるかというと、これはもう小説読みながら、いちいち論証したいのですけどね。例えば、主人公に即して、今の主人公というのは、「主人公はこう思った」という表現で、ほとんど神の視点を排除している。現在の小説は、主人公に即して書いていく。主人公はどんなふうに悪いことをやっても——例えばこの間、白井さん一家を全部殺してしまった犯人[25]においても、その犯人に即してずっと書いてゆくと、なるほどよくわかるとか、心は純粋だったという形で、本当に純粋になってしまいますよ。ピュアになってしまうんです。無垢な人間になってしまうんです。つまり、主人公に即して書いていくと、どんなふうにピカレスクに書こう[26]としても、ピカレスクであるにもかかわらず、主人公であるという条件によって純粋になる、子どもの状態になる、子どもの無垢な状態に転化してしまう、そういう「物語の装置」といいますか、物語というものの非常に恐ろしい、と同時におもしろいところなんですけどね。

それを考えていきますとね、こんなふうな見取り図がでてきたんです。

▼25　白井さん一家を全部殺してしまった　一九八三年に東京都練馬区で起きた、競売不動産の立ち退きをめぐって落札者が居住者（占有者）の夫婦と子供三人を殺害した事件。一歳の子供までも手にかけた凶行だが、立ち退きを拒絶した占有者によって経済的に追い込まれていたという犯人は、この事件以前にも、家督の相続をめぐって理不尽な行動をとった実弟を刺し、実刑判決を受けて服役していたり、父親との関係が影を落としていたりと、きわめて物語的な来歴を持っている。ちなみに殺害された一家のうち長女だけは修学旅行中で不在であり、「全部殺してしまった」というのは中上の記憶違い。

昔、多分、国とかね、国家とかあるいは共同体とか、あるいは民族共同体みたいなものの成立しない以前、法律も成立しない以前、あるいは逆にいうと国ができる、近親相姦がタブーになり始めて、国ができはじめるという、そういうときに、我々の中で共同体みたいなものが三つの集団に分かれて暮していたのではないか、と思うのです。それは、親たちの集団、つまり生産をし、それから子どもをつくるという集団。真ん中にはその子どもたちを育てる〈ウバ〉というか〈オバ〉というか——ええ、僕の小説なんかではときどき、〈イネ〉と呼んだり〈オバ〉と呼んだりする、そういう集団があったんじゃないかと……。

だから、今のような、我々が暮らしているような今の日常では、生まれた子どもは全部親の元で育ちますが、そうではなくて、かつては全部バラバラに暮していたのではないか。生まれた子どもが親の元で育つ、親が自分の子だけ育て他人の子と区別する、そういうことは非常に近代的な意識なのではないか、というような気がするのです。物語の中には国家以前みたいなものがパックされて、それが今、その、物語の中に登場してしまうのではないか。これが、僕が皆さん方が不思議に思った、題名につけた〈ワープ〉ということなんです。

▼26 ピカレスク　ピカレスク・ロマン。もとは中世スペインで流布した小説の形式(悪漢小説)を指す言葉だが、ここで中上は、そうした小説の主人公たちの特色、すなわち反道徳的であり不純で卑劣な性質、といった意味で用いている。

〈オバ〉というものがいまして、絶えず子どもに向かって親の物語を語り聞かせる。例えば、どなたか書いてたと思うんですけど、ちょっとあたって来なかったのですけど、子守歌がありますね。「ねんねんころりよ、おころりよ」って。「坊やのなんとか」「お守はどこいった」と、そういう、「坊やのお守はどこいった、あの山越えて里越えて」というメロディみたいなものは、つまり、かつて我々は親の元で暮らしたのではなくて、「仮母(かぼ)」が育ててある所に子どもを一ケ所に集めましてね、それで、それは多分、年取ったもう生産に従事できないようなお婆さんとか、そういうものが「親はこうだったんだよ。君たちはこんなふうに暮らさなきゃいかんのだよ」という一種、原初の学校のようなもの、共同体の中の教育みたいなもの、そういうものがあったのではないか、ということです。

ここで〈語り〉を……、これが物語においては語り部なんです。で、その語り部が、例えば親を語る、親をカタルのです。これが子どもに吹き込むと、わけのわからない形になってしまうと思うのです。〈親〉とは〈悪〉みたいな形に。これがつまり、絶えず、「お前は純粋だ純粋だ」という形で、その語り部が子どもにすり寄るようにして絶えず、親から吹き込まれたものをこっちに流していたのではないのか、という気がするのです。

これは、とても難しいのですけどね。

同時に、この語り部なのですが、これが絶えず主人公をつくっていくわけなのですよね。日本の文学というのは、いくつか型があります。例えば、子供の位置に当たる主人公がありまして、これに語り部たる〈ウバ〉か〈オバ〉が、つまり仮母が、親の位置にあるものを語るとどんなふうになるかといいますと、いいことも悪いこともあるのだけれど、その語りを重ねていくと、親が〈悪〉という形になるみたいな……。

それが、恋人というものを子に向かって語り続けると、どんな型になるかというと、例えば、小栗判官の照手姫ですか、あんなふうに優しいどこまでもついてゆく女性になる。あれは天の羽衣というのですか、鶴の女房といってもいいのですが、どっかでふうっと消えてしまう。要するに、それは天女であるみたいな形になり、あるいはもうひとつ恋人と言い切っては良いのかわからないのですが、照手姫とは違っているのですが、仲忠の母親のように、性的関係は薄いけれども、子どもを庇護する女性の型になるんですよね。

それでは、語り部が子に向かうときはどうなるかといいますと、子は絶えず、小さい神様みたいな、わけのわからない、どこかにすうっと消えてしまうような、小さいけど、小さい故に力を持っているような神様になる。いわゆる僕等が〈彼方〉のことだと思っている物語の中にパックされている、音といってもいいのですが、音の中にパックされてる、その、原初のもの、さっきの〈親〉の集団、〈オバ〉の集団、〈子〉の集団みたいな、そういうものがつくり出す、その意味なのではないかなと思うのです。これ、とっても難しいです。……そろそろ、三時十二分です（笑）。もうそろそろ終わりなんですけど、おわかりになったでしょうか。まあ、わからなかった人は、もし興味があったらあとで聞いて下さい。

それで、僕の実感は、原初に、朧に見えてくるのです。物語を考えつめたり、音を考えつめたりすると、ずっと〈彼方〉に国とかができる前に、こんなふうに子どもは育ったのではないか、あるいは、親はこんなふうな形だったのじゃないか、あるいは語り手という、例えば、小説家である僕なんかですけれど、それの原初の形というのは、こんなふうな〈オバ〉の集団みたいな、そういう仮母の集団、そういうところに収斂されてゆくものが、突然、二千年三千年ワープしてしまって、今ずっと、小説の中にどうしても解けないような型を取っていると思うのです。つまりなぜ主人公はみなし児・私生児で、そうしたてて行くと、読者を一番引きつけるのか。

僕等、読んでいくときに、主人公が悲しんだりすると、ものすごく胸がつまる、という、その原因なのではないか、と考えてのことなのです。

それともうひとつ、物語の中に刷り込まれている〈彼方〉のものについては、さっきの、蛇について話しましたが、これを音と蛇ということから考えていただくといいと思います。音と蛇、異界からここに侵入してくると突然おもしろくなるもの。物事が全部かわってきて、組み変えられ、おもしろくなる。音＝蛇と取って頂いても結構です。物語の上で蛇が現われると、これは何かのトーテム、ひとつのある部族のシンボルとして、作者の意識などと関係なしに隠され眠り込んでいるものが出てくるのかもしれませんね。

かつての我々の中の異族、農耕から追いやられた人間たち、遊牧民、冶金師たち、山師たちが、探し求めた鉱山、鉱物的イメージ、あるいは溶岩がグワーッと流れてくる。八岐大蛇（やまたのおろち）▼27というのですか、そういうもの、そういう鉱物・冶金・錬金術・青銅——まあ、青銅の肌というのはキラキラ光って蛇の肌とよく似ていると思うのですけれども——そういうものが、我々の物語の中に、作者の意志と関係なしにパックされてるということとな

▼27　八岐大蛇　『日本書紀』などに登場する、頭が八つある巨大な蛇。素盞嗚尊（スサノオノミコト）が高天原から出雲国を訪れた折、次々と娘を生贄にさしだす老夫婦に依頼され、末の娘・奇稲田姫（クシナダヒメ）を娶る条件でこの蛇を退治した。

のじゃないか。パックというのは、かつてあったものが突然ワープして、今、溶け込んできているということなのではないか。そういう異界のもの、そういうエントロピー▼28のようなものこそが、我々を楽しませ、我々の行き詰まった思考をひっくり返して、新しい発見をさせてくれる、我々をリフレッシュさせてくれる、そういうものなのではないかと思われるのです。

何かバラバラになってしまいましたけれども、どうもありがとうございました。

（昭和五十八年度東京学芸大学国語国文学会　春季大会、「学芸国語国文学」一九八四年三月所収）

▼28　エントロピー　熱力学の第二法則を意味する科学用語。ただしここでの中上の用語法は、社会的な汚れ、ないしは乱雑さの程度のこと。

三島由紀夫をめぐって

二つのアウトカースト

今日はどうもありがとうございます。ここに呼んでいただきまして。それで今日はじめて、三島由紀夫について喋ってみようと思います。というのは僕、日本の現代作家なんですけど、シンパシーを感じるのは現代の作家でたぶん、大江健三郎でもないし、あるいは安部公房[1]でもないんです。で、僕は一度も会ったことないんですけど、三島由紀夫っていう人間に対して、あるいは作家に対して、非常にこうシンパシーを感じるし、それから一番自分と近いのではないかという感じを、ずーっと持ち続けているのと――まあ日本で三島論というのは、いくつかあります。だけど、本当に三島由紀夫という作家に対して言及した論というのは全くないという、そういう状態なんです。

ということは、三島由紀夫という現象、あるいは作家、あるいは文学というのが、言ってみれば隠されている、禁じられているという状態であると思うんですよね。それから、そのことっていうのは、まあ今日話す二つ

▼1 安部公房 一九二四―一九九三。小説家。満州の奉天で育ち、帰国後に東大医学部を卒業。戦後、花田清輝・石川淳の影響下に作家活動を開始、一九五〇～六〇年代の日本の前衛文学を主導する。『壁――S・カルマ氏の犯罪』など、不条理な作品を次々と発表して日本のカフカとも呼ばれ、クレオール文字にいち早く注目した。代表作に『他人の顔』、『砂の女』、『方舟さくら丸』など。

のタブー、二つの禁じられたサブジェクト、そのテーマみたいな、そのことについてあまり何か講演っていうことを考えないで、ゆっくり皆さん方と話したいんですけどね。

ところで皆さん方、外にいらっしゃる。ということは、ここフランスですけど、フランスから日本を見て、日本におる三島由紀夫を見るっていうことと、あるいは東京にいて見ることとは、相当開きがあるんです。で、たぶん皆さん方フランス人ですから、日本人に対して、三島由紀夫を考える、あるいは三島由紀夫が最後に起こした事件をどう考えるかというと、みんなその答えに困ると思うんです。そういう答えに困るってことは、三島由紀夫の、その考え、あるいは彼が最後にやった事件というか、僕はそれを非常に文学的に捉えるわけなんですけど、そのことが非常に大きな、日本……日本文化というか、日本の一番奥に届いてしまったという、その理由によると思うんですよね。

で、日本人が三島について感想を言うのを戸惑うっていうのは、決してその三島由紀夫という作家の文学を分かったからでなしに、あるいは三島由紀夫が起こした事件を分かったからでなしに、つまり、やっぱりタブーとして隠したいという、その衝動によると思うんです。ということは、はっきり分かってないんです。はっきり分かってなくて、だけどそれをこう見たくない、はっきり知りたくないという理由によると思うんです。で、僕も日本人ですから、日本人の普通の振る舞いとして、まあまあよく分かるという、そういう考えを持ったりしますけどね。三島由紀夫についての今の日本の状況、あるいは日本人のその事件に対する状況もそうなんですけど、僕今日話したいのは、その三島由紀夫の文学が持ってた二つの意味、二つの隠された事実というんですかね、そのことについて話したいんです。

ええ、一つはですね、二つの隠された事実、二つの種類のアウトカーストだと思うんです。その二つの種類の、まあ英語で言うと two kind of outcaste ということだと思うんです。で、一つは彼の持っている、彼がずっとその最初の出発のときから書いてたホモセクシュアリティの問題だと思うんです。で、もう一つはたぶん、これは僕とも共通するんですけど、その「天皇」と「部落」っていう日本の階級制、隠された文化の階級制と言えばいいんですかね、その問題だと思うんです。で、今日僕が話したいのは、この二つが同時に一つのものを作っていくっていう、あるボーダーを設定していくんだということについて、可能な限り話してみたいんです

▼2 カースト　本来は、インド・ヒンドゥー教の身分制度。大別すればバラモン（神職）、クシャトリア（貴族）、ヴァイシャ（平民）、シュードラ（奴隷）の四区分と、その外部（アウトカースト）としてのダリット（賤民）を持つ。階級移動と職業移動の禁止を柱とした終身制度であり、さかのぼればバラモン教の成立にともなって誕生したと言われているが、藤井毅『歴史のなかのカースト』のように、それらが実効機能したのはヨーロッパの植民地支配以降とする説もある。

けどね。

ボーダーラインの設定、あるいはボーダーラインを、無化してしまうようなものっていうのが、それが僕の考えてる「アジア」、あるいはそれを「日本」って言ってもいいんですけど、そういうもんだって考えなんです。で、それが三島が持ってた、三島の考えてた、つまり彼の一番大事なもの、たとえば「天皇」っていうもんだったんじゃないかっていう。結論から先に言うんですけど。それでまあ最初に、僕が考えてる世界モデルみたいなことを言いたいんですけどね。とりあえず三つか四つの、その世界を考えていただきたいんですよ。最初に皆さん方、今こうフランスにいるんだけど、たとえば最初にヨーロッパという病気が、病としてのヨーロッパ▼3というものがあった。それは同時に、帝国主義について何処(どこ)へでも浸透していく。同時にこれは、キリスト教と一緒にあってもいいんですよね。何処へでも浸透していく、全然どんなワクチンもないっていう、そういう状態で、もちろんそれは日本にも来ましたね、織田信長の時代に。そういう、病としてのヨーロッパというものがあったと思うんです。

それに対して、もう一つの時代みたいなのが始まる。これはたぶん、ヨーロッパの中で、ある突然変異みたいのが起こってきたんでしょう。それ

▼3 病としてのヨーロッパ　中上がヨーロッパを「病」と呼んだのは、その原理の世界的な浸透と増殖を指す。具体的には、この講演の直前の一九八五年十月発行の雑誌『GS』(Vol.3)に、エドワード・サイードの『オリエンタリズム』の「序説」が翻訳されていることを考えれば(全編の邦訳は八六年)、帝国主義(および植民地主義)の輸出に際してヨーロッパが伴っていた西欧中心的な理性と普遍主義が、それを反映するかたちで、植民地化される国々(と、それをどうにか回避しようとした日本)の思考にも及ぼしてしまった影響を指してもいる。

は、アメリカっていう病▼4だったと思うんです。で、その後にアメリカっていう病が起こったあたりで、同時にたとえばマルクス主義という、一つの病▼5が始まった。その、まあせいぜい三つ。ところが、そう病が起こってるところで、全然別の形の病が起こってきたっていうのが、それが僕「アジア」だと思うんです。それはマルクスの言う考えとまるっきり反対かもしれません。マルクスは一応、「交通」が停滞状態のときに「アジア」って言いましたね。あるいは「アジア」っていうのは、固定した地域の名前じゃなくて、アジア的、アジア化という言葉使ったんですけど、「交通」が孤絶した状態で、一種化石のようになってしまう、それを「アジア」って言ったんです。僕まるっきり別な考えで、「アジア」っていうのを使いたいんですけどね。

で、三島由紀夫にとって、つまり三島由紀夫が書こうとしたもの、あるいは見つけようとしたものっていうのが、今僕なんかが見ている「アジア」ではなかったのかという考えなんです。つまりこれはもう全部検証を省いて、こういうとこで通訳、翻訳を通して皆さんに喋ってますから、全部省いちゃうんですけど、その彼が見つけようとしたもの、彼が書こうとしたもの、それが「アジア」、つまりボーダーがないもの、ボーダー、国

▼4　アメリカっていう病　それと同時に「マルクス主義という、一つの病が始まった」という記述からすれば、「アメリカという病」は十九世紀末から二十世紀初頭に生じた事柄を指すはずだが、その場合、第一に想起されるのは、ヘンリー・フォードによって産みだされた「フォーディズム」である。大量生産と効率化、さらにその利潤の還元による労働者の消費者化―再搾取の構造は、たんにアメリカ国内を高度消費社会化したのみならず、戦後に及ぶアメリカ型消費モデルの波及を導くことになる。そのことは同時に、本書に収められた東京堂書店での講演「小説を阻害するも

境というか、その境界がないもの、境界を出たり入ったりするっていう。で、そのことが僕は二つの意味のアウトカースト、彼が見続けて、書き続けた、その意味なんじゃないかという気がします。ということは、まあ逆にもう一つ、こういうふうに言ってもいいです。三島の「アジア」っていうのは、そういう、こう二つのアウトカーストが隠蔽された、その事実がもたらす愉楽のことだったんじゃないかという、そういう気がします。

　その三島由紀夫について喋ることっていうのは、彼のその最後の事件、彼が引き起こした事件と、彼が自衛隊に乗り込んで行って、それで演説した。で、非常にこう右翼的な言辞▼6を吐いたわけですね。だから言ってみれば、その言葉のレトリックでみんな惑わされるんですけど。それをこう、右翼的だからというあれで日本では単純に、政治的な理由で隠されてたりするんだけど、本当はもっと危険なんですよね。もっと危険だし、もっと面白いっていう。ということで、そのことを明らかにしなきゃいかんと思うんですけど。うーん単純にまあ、彼の天皇制、天皇に対する思いだとか、あるいは彼の天皇制っていうのは、僕はそれをまともに、ストレートに、単純に真に受けちゃいかんと思うんです。

　ということは、日本において、日本をあまりに韓国的に取りすぎると。

の」（8ページ）で中上が指摘した、移動や通信の高速化に伴う物語（あるいは小説）の困難、というモチーフにも遠くつながってくることにもなるだろう。

▼5　マルクス主義という、一つの病　柄谷行人の言を借りれば、マルクスが『資本論』ほかで語った商人資本とは、世界「交通」と不可分なものでもあった。価値体系の異なる地域間での交換によって利潤を確保する商人資本にとって、「交通」の距離および速度の増加が至上命題となるとともに、その反復増殖が志向されることは、現代における金融資本においても変わらない。一方、近代日本に即して言えば、キリスト教とと

僕、それ北方的と言いますけど、日本はこういろんな要素持ってますね。で日本、日本人っていうのは、あるいは日本文化っていうのは、ほうぼうの国からの寄せ集めなんです。あるいは、それこそ二千年ぐらい前に、日本が遣唐使あるいは遣隋使っていうのを派遣して、中国の文化を取り入れて、自分の国を、国の成熟を造ろうとしたように、絶えず外から文化は入って来るという状態がずっとあるんですけど。その一つの要素である北方的性格だけで、日本文学捉えちゃいけない、あるいは三島の言った言葉を捉えちゃいけない、ということを僕まず言いたいんです。

愛の作家、三島由紀夫

まあ僕の言っていることは、ひとつの想像力の問題ですよね。右のものを左に考える。あるいはタテのものをヨコに考える。そういうことで、まず解決されると思うんですよね。たとえば日本、日本文化っていうのは、北方的性格っていうのをひとつ考えていいと思うんです。北方的、つまり韓国の普通に文化人類学的な人に接触しますと、まあ韓国の友達いたら聞

もに外部からもたらされた「一神教的」な秩序の排他性をも含意しよう。なお、中上は『紀州——木の国・根の国物語』の「尾鷲」の章で、「尾鷲島のこの製材所で挽かれる一本の材木を考え、解き明かす事は、『資本論』を私が書きあげる事と同じである。私はその自分の直感に、呻く」と語っている。

▼6　右翼的な言辞　「今こそわれわれは生命尊重以上の価値の所在を諸君の目に見せてやる。それは自由でも民主主義でもない。日本だ。われわれの愛する歴史と伝統の国、日本だ。これを骨抜きにしてしまった憲法に体をぶつけて死ぬ奴はいないのか。もしいれば、今からでも共に起ち、

いてみたらいいんですけど、普通の家庭で、たとえば韓国のキムさんっていますね。で、キムさんっていうのは、じゃあ、おうちはどこですかというと、韓国の大体この辺りだ、韓国の全羅道(チョルラド)▼7、全州だと言う。そうするとそこへ行くと、本貫(ほんがん)▼8っていうんですけど、本貫行くとその家は、神話の時代からずっと続いてるんです。神話の時代から、どんなキムさん、どこのキムさんでも、神話の時代から全部こう続いてる。

で、もちろん日本もこう家系があって、系図があったりするんですけど、日本でつまり（家系が）存在するのは天皇家です。天皇家だけなんです。だから、単純に言うと、日本の北方的性格というのは、まあ韓国によるんですけど、つまり上に天皇があって、あるいは上にこう神様があって、下に何か人間がいるとかっていう感じ。それをヨコにしちゃったらどうですか、ということなんです。

そうすると、そういう想像力を元にしますとね、たとえば三島が言おうとした「天皇」っていうのが、これがもし上じゃなくてヨコだったらどうするのかと。ヨコに、右にあって、左にじゃあ「部落」がある。あるいはその真ん中にそのキムさんが……キムさんじゃなくて、まあ中上さんでもいいいし、何でもいいんですけど、そういう形。ヨコにしたらどうかという

共に死のう。われわれは至純の魂を持つ諸君が、一個の男子、真の武士として蘇ることを熱望するあまり、この挙に出たのである」。（三島由紀夫が市ケ谷駐屯地で撒いた檄文の末尾）

▼7 **全羅道** 朝鮮半島の最南端に位置する、韓国の地方。李氏朝鮮の時代に、朝鮮全域を八つに割った行政区分のひとつ。朴正熙が軍事クーデターで政権を奪取した一九六一年以降、金大中が全羅道出身者で初の大統領に就任する九八年まで、あるいは遡って高麗王朝の時代から、東部の慶尚道（とその出身者）によって様々な差別を受けていたという。

▼8 **本貫** 朝鮮半島におけ

話。そうすると、つまり彼が、彼があそこで自衛隊へ乱入して、市ケ谷（陸上自衛隊駐屯地）に乱入したことが、ものすごく大きく違ってくるはず。あるいは、もう一つ彼の重要な作品である、一番最後の重要な作品である『豊饒の海』▼9っていう作品が、単純にこう何部作っていう形じゃなくて、もっと別のものに見えてきはしないか。

たとえば、われわれそのアジアの作家として、日本の伝統的なものだけを問題にできませんよね。そうすると、アジアの遺産、アジアの伝統的なもの、たとえばインドから派生して、ずっと流れて来ている『ラーマーヤナ』▼10っていう作品。あの『ラーマーヤナ』として読めないかということなんです。そうすると、『ラーマーヤナ』として読むような想像力があるなら、彼が言ってる「天皇」っていうのはもう少し右翼的な、こう狭いファナティックな形じゃなくて、もっと豊かな相貌を帯びてくるんじゃないか、という考えなんです。

おそらくあの三島由紀夫っていうのは、終生そのボーダーの問題にこだわったと思うんですね。その国境の問題というか。国境っていうのは単純に国のあれじゃなくて、つまりもう一つの国とこの国という、そういう意味の国境なんですけど。それはもう少し、別な言葉で言えば、内部と外部

る、氏族の発祥地およびそれによる区分。各姓の出身、血縁などを含意するため、かつては両班（ヤンバン＝朝鮮の貴族・官僚階級）の身分を担保するものであり、また同姓同本貫での婚姻が禁じられたりしていた。

▼9　『豊饒の海』　「春の雪」、「奔馬」、「暁の寺」、「天人五衰」からなる、三島由紀夫の最後の長篇小説。第一巻の主人公、松枝清顕の幼なじみである本多繁邦を狂言回しに、清顕およびその転生したとされる飯沼勲、月光姫、安永透という三人の若者の短い生涯を描く。

▼10　『ラーマーヤナ』　ヒンドゥー教の聖典『マハーバーラタ』とともに、インドの二

の戯れと言えばいいんですかね。その、内が外であり外が内でありみたいな、さながらその禅の問答みたいな形になっちゃうんですけど。あるいはそのことが、ボーターの戯れ自体が、三島における発見された「アジア」と言えばいいんですか。あるいはその、「病としてのアジア」、今僕らが、その日本に住んでる者が、どうしても気づかなければいけない「日本」という状態、あるいは「アジア」という状態。それはその、決してマルクスが言っている遅れたものとしての、化石としてのアジアではなくて、絶えず生き続けてる、動き続けてる、さながら次々こう抵抗媒体みたいなのを破壊して、その抵抗媒体とは違う、それを無化してしまうという、そういう「アジア」というのと同じ問題だと思うんですよ。[11]

で、三島の小説において一番重要なことは、絶えず彼はこう右のものを左にする、あるいは上のものを下にする、というようなボーターの問題、つまり、内と外にひっくり返るという、ボーターの戯れなんですけど、そのことはいつも起こってるんですね。たとえば『仮面の告白』[12]っていう、最初の小説なんですけど。最初の彼の二十二か二十三ぐらいの小説なんですけど、その中でつまり彼は、何を告白しているのかという問題。で、ぼくは今日それを、『仮面の告白』を持ってきて、その引用の箇所をこう線

大叙事詩とされる、神話物語。ヴァールミーキの作。さまざまな地方語を持つインド国内での翻訳、翻案にとどまらず、東南アジアのヒンドゥー文化圏はもちろんのこと、中国や日本の伝承にもその影響がみられる。「インド・コーサラ国の王子ラーマ（ヴィシュヌ神の生まれ変わり）が、父王の退位時に謀略によって追放され、妻・シータらとともにガンジスを渡って森で暮らす。落ち延び先で魔王の妹に岡惚れされたラーマは、妻を拐かされるものの、近隣の猿族の将軍ハヌマーンたちの力を借りて魔王を倒し、囚われの妻の貞節を疑いつつも火を潜って無傷であることで神の審判を信じ、故国へと戻って王位

を引っ張ってきたんですけどね。

まあ三島由紀夫っていうのは、単純にぼくがその出版社の宣伝部員だったら、一貫して「愛の作家」だったたっていうことを言いたいんですけど。彼はずっと一貫して、「愛」っていうものを書いてたと思うんです。で、その「愛」っていうのは、何に対する愛であるか、愛情であるかっていう、それが非常に集約的に出てる、若いときに書いた作品なんですよね。僕それちょっと読んでみたいんです。この件りなんです。

坂を下りて来たのは一人の若者だった。肥桶を前後に荷い、汚れた手拭で鉢巻をし、血色のよい美しい頬と輝やく目をもち、足で重みを踏みわけながら坂を下りて来た。

（『仮面の告白』）

これ、その、二十いくつの作家が書いてるんですよね。とてもいい文章ですよ。あの何て言うのかね、文章として、急いでもないしね。その普通こういうもの書くと、才気があるとけっこう急いで、感覚だけで書いちゃうんだけど、書きながら、言葉の色合いみたいな、ちょっとこう使おうとしているっていう、その態度がよく見えます。

に即いた。帰国後、ラーマはシータの貞節をふたたび疑い、すでに自分の子を宿していた妻を放逐する。森へと戻り双子を出産・成長させた彼女と再会したラーマは、三度その貞節を問う。シータは再び、しかし今度は無傷によってではなく大地に飲まれることで神にみずからの貞節を証し、二度と還らぬ妻を嘆いてラーマもまた世を去るのだった」という、なんとも言いがたい筋立てだが、ここで中上は、死をもって夫への愛を証したシータと、天皇への愛を証した三島とを重ねている。

（追記）初版刊行後、四方田犬彦氏の「二人が結ばれる幸福な結末が一般的では」との指摘をもとに、脚註執筆時に

> それは汚穢屋（おわい）——糞尿汲取人——であった。彼は地下足袋を穿き、紺の股引を穿いていた。五歳の私は異常な注視でこの姿を見た。まだその意味とて定かではないが、或る力の最初の啓示、或る暗いふしぎな呼び声が私に呼びかけたのであった。それが汚穢屋の姿に最初に顕現したことは寓喩的（アレゴリカル）である。何故なら糞尿は大地の象徴であるから。私に呼びかけたものは根の母の悪意ある愛であったに相違ないから。
> （『同』）

で、

> 私はこの世にひりつくような或る種の欲望があるのを予感した。汚れた若者の姿を見上げながら、「私が彼になりたい」という欲求、「私が彼でありたい」という欲求が私をしめつけた。
> （『同』）

という件りですね。で、僕言いたいのは、たとえば「私」が「彼」になりたい、「私」が「他者」になりたいという、こう一種、神話的な発想で

参照した東洋文庫版『ラーマーヤナ』（岩本裕訳、一九八〇年）を確認したところ、訳者解説に、シータが大地に飲まれる結末の第七篇はバラモン教的な色彩を増すべく後代に付加されたものであろうとの記述を発見した。同文庫が「三島由紀夫をめぐって」講演時期に直近の邦訳であることを過大に捉えれば、福村書店版の河田清史訳等ではただしく割愛されていた第七篇の結末が物語作家としての中上健次を強く惹きつけていたなら、との想像を逞しくする誘惑にもかられるが、むろんそれは四半世紀を隔てた不勉強な脚註執筆者の牽強付会な妄想にすぎず、シータと三島の重なりに触れて結んだ初版脚

す。だからみなさん、こういう発想っていうのは、「私」は「私」であるかとか、私は誰だとかっていう、そういう人間的な考えでなしに、「私」は「他者」であるというですね。これはそのギリシャ神話とか、読んでると分かっていただけると思うんだけど。あるいは、「私」が「彼」でありたい。私は白鳥でありたいっていうような、そういうことに転化できるんですけど、それは問いの立て方そのもの、「私」は「彼」になりたい、このことっていうのは、基本的に神話的な発想なんだけど、ギリシャ神話的な、あるいは今まで私たちの教養のなかにある西洋的なものの考え方からとってしまうと、少し間違うと思います。

　で、たとえばその次の件りにあるんですけどね。このフレーズだけ引用しますけど、「きわめて感覚的な意味での『悲劇的なもの』を、私は彼の職業から感じた」という、この「悲劇的なもの」というの、カギカッコで括ってるんだけど、この「悲劇的なもの」というのも、これはそのつまり「アジア」の、さながら『ラーマーヤナ』のラーマ王子がですね、森の中にこう捨てられる。あるいはそのアジアの、あの王子が悲惨な目に遭うという、そういう意味の「悲劇的なもの」っていうことだと思うんです。

　で、ここでその、さっき読んでもらった文章の中で、とてもこれ注目す

註の拙速とあわせて訂正しお詫びするとともに、四方田氏に感謝したい。

▼11　抵抗媒体みたいなのを破壊して、その抵抗媒体とは違う、それを無化してしまう　このあたり、「現代小説の方法」（本書所収）でもいくらか触れられていた、エイズウィルスのイメージ（および柄谷行人による中上論「物語のエイズ」、「群像」一九八三年九月号初出）による影響が感じられる。

▼12　『仮面の告白』　一九四九年七月、河出書房より書き下ろし。編集者・坂本一亀（坂本龍一の父）による原稿依頼がなされたのはこの前年であり、三島由紀夫の二十三歳から二十四歳にかけての作

べき文章なんですね。「私に呼びかけたものは根の母の悪意ある愛であったに相違ない」っていう。たぶん三島由紀夫は、出発の、ものを書き始めた最初から最後まで、それこその市ケ谷の自衛隊の若者たちを前にして、演説して割腹して死ぬまで、つまり、その呼びかけの、こう「根の国」のね、「根の母の悪意ある愛」をたぶん聞き続け、感じ続けたんでしょうけどね。この「愛」っていうのが、今日の中心的テーマなんです（笑）。

その「愛」っていうのが、つまりこれがボーダーを越えて、あるいはそのボーダーっていうのは、逆に今僕しゃべったことで言えば、カーストっていうものを越えて、ぬけぬけと浸透するもの、カーストを無化してしまうもの、あるいはこうカーストを平気で越えて動いていくもの。もちろんそれは悪意ある愛、われわれのその辺りに転がっている、チョコレートでこうくるんでる、あるいは砂糖でくるんでるような愛っていうものじゃなくて、棘があるかもしれないし悪意があるっていう、そういうもんですけど。

それが、こうぬけぬけと浸透するっていう。で、彼がこうずっと考え続けたもの、あるいは彼が感じつづけたもの、あるいは彼が表現し続けたものっていうのが、その「悪意ある愛」、「根の母の悪意ある愛」っていう、

ということになる。

これとっても面白い表現なんですけどね。
で、それ二つの種類の「愛」であるっていう。一つはホモセクシュアルっていう、その「愛」であり、もう一つはカーストを越えた、カーストをぬけぬけと浸透するその「愛」であるっていう。それはあるときに天皇に対する、天皇というアウトカーストの人間に対する愛であり、もう一つはその、彼のオリジンというか、彼が来たところである、もう一つのアウトカーストっていう。これは「部落」、と言ってもいいんですけど。

実を言うと彼の――日本でこれも隠されたことなんですけど、三島は全部、全て隠されてるんです、三島のことに関しては。彼のお爺さん[13]、平岡なんとかさんという人なんですけど、彼がその被差別部落から来てますね。で、彼は四分の一の「部落」の血が入ってるんですけど、それは全部、全て隠されてる。で、この中に、『仮面の告白』にまあ僕がそれを読み取るっていうのは、二つの種類の「愛」である。その二つの種類の「愛」、つまり二つとも隠されてある「愛」、それこそ「根の母の悪意ある愛」っていうものでしかないような、そういう「愛」だと思うんですけど。それをまあ、彼は書き続けてるし、感じ続けてるし。で、最後までその「根の国」の、「根の母の悪意ある愛」を信じ続けて、彼は割腹して果てた、と

▼13　彼のお爺さん　平岡定太郎。一八六三―一九四二。兵庫・加古川の農家に生まれ、帝国大学を経て内務省に。宮城、大阪などを経て一九〇六年に福島県知事に就き、〇八年から樺太庁長官。のちに阿片事件で捕えられ、無罪判決を受けるも失脚。中上は上記のように断定的に語っているが、三島の祖父の出自をめぐっては、野坂昭如『赫奕たる逆光』のほか、板坂剛『極説三島由紀夫』、『真説　三島由紀夫』で特に詳しく言及されている。

思うんですけどね。

拡大するアジア

僕、そのことそのものも、彼が市ケ谷で自決した、しかもそれは一つのとてもいいストーリーというかね、自分の「恋人」と一緒に、もう一つの「天皇」っていう名前を出して、国っていう言葉を出して、それで自衛隊の中に乱入して、自決したっていうことはその、非常によくできたストーリーなんです。さながら『ラーマーヤナ』のまん中あたりの、ちょうどいいクライマックスに、相応（ふさわ）しい物語だと思うんですけど。まあだけど、物語は『ラーマーヤナ』である限り、もっと延々と続くと思う。もっと今僕がここでこう話してること自体が、『ラーマーヤナ』のそれこそその王子が首切られてコロコロっと転がって、その後もう一人別な登場人物が来ましてね、ここで話してるような（笑）。これも『ラーマーヤナ』の一つのストーリーかもしれないっていう、そういう感じもするし（笑）。

たぶん、これから三島由紀夫に関しては、もっと別な見方、それが出てくると思うんです。で、正直ここ日本の文学の中で、文壇の中で、三島のあの事件がある故に、三島を正面切って論じる者が誰もいない。そういうこう、恥ずかしい状態なんですね。で、それはまあ、たとえばたくさんの日本に作家いるんだけど、彼らはやっぱり、国境の内部の人間なんですよ。国境を越えられない、ボーダーを越えられないっていう、そういう非常に不甲斐ない状況が日本で起こってるんです。もちろんそれは、大江健三郎もそうだし、安部公房もそうだし、彼らの作品がフランスに翻訳されようと、英語で翻訳されようと、彼らは国境を越えてないと思うんです。彼らの持ってる問題自体が、日本語のいつも内部の問題にすぎない。日本っていうのは、こう外部と内部が絶えず入れ替わるっていうことが、つまり日の本っていうか、日出づる国っていうか、あるいは日没する国でもあるんだけど、その日本の意味だと思うんだけど。

もともとその、聖徳太子の時代からそうだったと思うんですよね。で、それがいつの間にか、非常にナショナルな時代になってしまったっていう。その文学が、大江健三郎であり、安部公房であり、まあ誰でもいいんですけどね。開高（健）でもいいし。で、ただ一つその三島由紀夫は違った、ということなんです。彼はつまり、今まで非常に馬鹿な批評家がいましてね、たくさんいまして日本に。それが単純に三島のレトリックで、たとえば彼は『アポロの杯』[14]っていうのを書いてるんですけど、その「アポロ」ってこう言葉を使えば、もうこれはヨーロッパ的なんだと、ラテン的なんだっていう、単純にそういうものしかできないっていう、それぐらいな猿の知恵ぐらいしか持ってないような批評家がざらにいるんですけどね。そういうのが、全部誤読してきたってことなんです。つまり彼らは何も分かんない人間たちですからね。

まあ、それだから三島を隠蔽してきた。これは単純に知能が足らないから隠蔽していたんですけど、だけど現実的に言えば、つまりどっかにみんな感じてるはずなんです。あの事件っていうのは、みんな寝覚めが悪い。みんなそうなんだけど、ただなんか見えてるんだけど、それに対して言葉を与えないっていう、そういう状態が続いてる。それが意図的に隠されてきたと思うんですね。日本文化、あるいは日本っていう、つまり、あの今進んでる近代天皇制みたいなものの中で。つまり近代天皇制っていうのは、単純に言うと、小泉信三[15]とかそういう連中がやった、天皇家をテレビに出して、国民とこう親しくさせるっていう、そういう状態だったと思うんですけど。

▼14 『アポロの杯』 一九五二年、朝日新聞社。三島がはじめて日本を離れ、南米から北米大陸、パリ、ロンドンを経てギリシアに至った旅行の記。

▼15 小泉信三 一八八八―一九六六。経済学者。マルクス主義批判を旨として、戦前から終戦直後まで慶應義塾の塾長をつとめ、戦後は当時の明仁皇太子（現上皇）の教育係でもあり、現上皇后との結婚の陰のプロデューサーとしても知られる。

ほんとはその近代天皇制みたいの、それはたぶん三島が一番嫌ってたもんだと思うんです。もっと違うものなんだという、つまり三島がやろうとしたことは、つまり単純に言えば、『ラーマーヤナ』が、たとえばアジアのひとつの国の、王国の話なんです。で、そんなにわれわれファナティックな、あるいは硬直したものの考えでいることないと思うんですよね。で、三島がこう、ずっと考え続けた、三島の日本文化論っていうのがあるんですけど、彼が論じ続けた天皇っていうのは、文化の統帥者、統帥者の天皇っていうのは、つまり「アジア」、これからもっと拡大してくるだろう、つまり「病としてのアジア」の、その象徴だと思うんです。あるいは体現者だと思うんです。で、それを彼は論じ続けた。

そして彼が、彼一人たぶん感じてたと思うし、三島死んでもう十五年ぐらいですか、僕が三島死んだときが二十五、それが今三十九なんですよ。もう十五年くらい経つんですね。で、そういう、あれだけの作家が、あれほどのいろんなこと書くことできた人間が、さながら劇の中に、『ラーマーヤナ』っていう物語の中に、突然飛び込んでいく、向こうのほうの人間になってしまうっていう、物語の人間になってしまうようなことっていうのは、まあそれだけ「アジア」っていうのが、とてつもなく大きい、そういうことだと思うんです。そのことで終わりたいんですけど。

質疑応答

Q：あの、確か、雑誌か何かでだったと思いますけれども、あなたはどうして作家であることを恥ずかしい、作家であることは職業ではない、そういうふうに宣言されたのですか？

A：僕今、フーテンライターなんですよね（笑）。ただ僕ね、二十七、八までずっと働いてたんです。働いてたっていうか、生活は全部その労働で得てっていう。で、小説で飯食い始めたのは、芥川賞もらってからなんです。

　で、それまで僕ね、羽田エアポートで貨物の積み下ろしをやってたんです。僕、そこでね、全然字書けないと思われてたんですよね。じっさい書けないんです、そういうとこに行くとね。まあ今から考えると、例えば羽田で貨物の積み下ろしをやるって、けっこうきついんですね。きついんだけど、小説書いてたし、最初は詩人として出発したんだけど[16]、それでこの書くってことを売ってですね、たとえば週刊誌のライターになるとかね。あるいはその、会社でも広報部とかね、ああいうところ行って、楽な仕事すればいいのにと、今から考えれば思うんだけど、そのころものすごく嫌だったんです。字書くのが嫌だった。で、絶対そのことで僕飯は食いたくないって。ただ、こっちで仕事はしたいんですよ。そのことと、こっちでそのことを売ることは違うんだっていう。

僕、小説家は違うことなんだと思ってた。もちろん今、僕小説を書いてお金もらってるんだけど、だけどその、金はもらってるんだけど、たぶん僕の自分の小説は売れないものというか、もう売るつもりもない。自分はいっぺんも売ったことない。自分はこう作家という商売、そういうことは一度もやったことない。ただ、作家である。そのことがね、一つ言えると思うんです、答えとしてね。

で、もう一つはその、本当の僕がそれこそ三島と比べても、三島と同じだと言っていい、「愛の作家」だと思うんです。僕もその、愛だけをこう歌ってるっていう。だけど自分が書いている、読んでいただいたら分かるんだけど、たとえば『千年の愉楽』という小説でも、全部ゲットーのこと

▼16　最初は詩人として出発した　中上は一九六四年、十八歳のときに新宮高校の同人誌「車輪」に、詩「硝子の城」を発表している。初期詩篇は『中上健次全集14』に収録。

書いてる[17]。だけど書いた本人、僕が読んでほしい、いつも愛の対象として歌っているその人間たちは、読めないんです。たとえば例出しますと、僕のお袋は字読めません。文盲ですよ。で、姉もそうです。姉弟全部、回り全部です。僕一人、本読んで、小説書いてるんですね。僕にとってこう、書くってことは病気みたいなもんです、そりゃあ恥ずかしいですよ。読めなくて、字を読まなくて、だけどこう食べて生きている人間と、自分はこう書く、ものを読んだり書いたりするってことは、その人間たちに比べると、非常に恥ずかしいです。で、そういうことを二つ、あなたに答えることできる。難しいですか（笑）。

Q：私が、仰ったことから理解したところでは、三島っていうのはある意味で、「部落」に対してはですね、一応、国境を越えることに成功している。ところが、「天皇」に関しては、「天皇」に対する愛情っていうのを宣言し、表明しているわけですから、「天皇」っていうのは、国民的存在である。ナショナルな象徴である。その二つの側面に見られる一種の矛盾というのは、どういうふうに説明したらいいんでしょう？

▼17　ゲットーのこと書いてる　『千年の愉楽』所収の「半蔵の鳥」、「六道の辻」、「天狗の松」、「天人五衰」、「ラプラタ綺譚」、「カンナカムイの翼」の六篇がいずれも、被差別部落としての「路地」を舞台としていることを指す。

A：あの、こういうことなんです。その問題はですね、こういうことなんです。僕は一貫して今日も喋ったんですけど、つまりカースト外の問題、アウトカーストっていう。だから「天皇」も「部落」も、アウトカーストなんです。カースト外なんです。だから例えば三島個人が、あるいはその三島家が盾にしてるっていうこと、つまり階級を飛び越えてるとか、そういうこと今日僕一度も言っていません。そういうことは全然関係ない。だから作家三島が、そのカーストという国境をどう越えているか、という問題をずっと一貫して喋りました。

そういうことと同じで、じゃあその「天皇」、アウトカースト、つまり「天皇」に対して愛を告白することは、同時にこれはその、国境外の話ですから、これは「部落」に対する愛を告白することと全く同じことだと理解していただいていいと思うんです。天皇は、じゃあ国民の象徴ではないか。あるいはナショナルな意味の、国民統合の象徴であるっていうこと、これ同じことですよ。こっちでは、こう「部落」に関してそれは言われないだけで。「天皇」に関して崇拝すると、こっちに関しては排除の論理が働く、これは一緒です。全く一緒です。

これはもちろん、僕社会問題で言ってるわけじゃなくて、文化のその機能の問題、文化がどんなふうに動いていくか、言葉はどんなふうに動いていくかということを、問題にしてるわけです。これ、社会的な存在としては、それこそ日本社会において、その排除の論理、差別の論理というのが、具体的に言うと動いているかもしれませんね。だけど、文化においては全然違う働き、言葉っていうのは全然違う働きするってことなんです。だから、これは三島にとって、つまり「天皇」ということ、「天皇」に対しての愛を語ることっていうのは、同時にその「部落」に対する愛を語ることでもある、ということなんです。だからそういう意味で、この『仮面の告白』っていう、タイトル自体もう、非常に象徴的なもんだと思うんですよね。

Q：今日はあの、三島と『ラーマーヤナ』の関係について仰ったんですけど、その関係をもう少し説明していただきたい。それは三島の存在、三島の生涯と『ラーマーヤナ』のストーリー、『ラーマーヤナ』のたとえば王子がインドを越えて国境を出てどうこうすると、そういうものの共通性なのか。あるいは、『ラーマーヤナ』の作家との関係っていうのもあるのか。そのへんのところを……。

A：うん、それはとても難しいけどね。あの、こういうことなんです。つまり僕ときどきこう、物語の原型みたいなものをね、僕がこう今、物語を書くでしょ。物語を書いて、この物語ってどっから来てんだろうと思うんですよ。自分が小説書く、で、小説の中で非常に僕はその物語性の強い作家で、つまり物語をこう二倍か三倍ぐらいのスピードで早く回転さすみたいなね。そういうこと考えたりするんですけどね。で、普通一回だけの物語じゃ通俗で読むに耐えないから、それをこう三回、三倍ぐらいにしちゃうっていう、そういうこと考えたりするんですけど。

で、その物語はどこから来てるのかっていう。つまり、なんかこう原型的なものがあるんじゃないかと思ったりするんです。原型的なものっていうのは、神話であったり民話であったりするっていう。そこでずっと探って探っていくと、たとえば日本の一番古い物語、たとえば『宇津保物語』だとか、あるいは『竹取物語』だとかっていう原型に行き着きますよね。行き着いて、結局その自分が書いてることも、『竹取』と変わんない。『宇津保』と変わんないいんじゃないか。さらにその原型っていうのは何なのかと考えると、たとえばインドにある、インドに発生源を持つ『ラーマーヤナ』っていうのが、こう見えてくるわけです。

で、それは僕が考えていったことなんですけど、これはもう批評家として、その三島と『ラーマーヤナ』をくっつけてる。あるいは、あなたの答えには、単純に言うと、それだけを言えばいいかもしれないけど、むしろその奥を言いたい。一人のアジアの、その日本の、日本っていう文化を背負った作家が、一家の物語、一つの家の物語を書くときに、結局その原想像力というかね、その原型みたいなもの、どうしても出てくるんじゃないかっていう、どうしようもなさっていうもの。こう言葉の中にパックされている、刷り込まれているようなものなんじゃないか。それが、あの『豊饒の海』の意味なんではないか、と思うんです。

単純に言うと、三島がだから『ラーマーヤナ』を発想したろうということは想像できますね。ってことは、彼はインドに取材旅行に行ってますよ。それから、インドで「輪廻転生」っていうやつも勉強してきました。仏典を読んで勉強しましたし。で、もちろん『ラーマーヤナ』と関係あるってことはあるんだけど、その彼の後天的な影響、つまり後天的に僕は、この作品と、つまりラーマ王子とその「本多」っていう男（『豊饒の海』の本多繁邦）と、これと似てるんだっていうことよりもう少し原型的な、アジアの作家が、日本の作家が、言葉を使ってものを、一人の人物を例えば三代にわたって書くときに、結局その大きな原型みたいのが出てくるっていう。そのことが僕、とても大事なことなんじゃないかと思うんです。

Q：あの今日は、日本の現代文学についてお話していただくのではないかと思って来たんですけれども、結局のところ、三島の文学、および三島という作家に関するお話で、はじめに思ったのとは、ちょっと違ってきたわけですけど、あなたは結局のところ、三島っていうのを、日本文学、文化、およびアジアの文学、あるいは文化のシンボルとして扱っておられると。で、最初の質問はですね、日本とアジアというのを、同一化して見るということ自体、問題があるのではないか。それはどのように説明されるのか。二つめは、三島において確かにアジアのイメージっていうのは重要だったと私も思うんですけれども、文化的共同体してのアジアというのが、ある意味で重要だったというのは確かだと思うんですけれども、それはむしろ、西洋文化に対比するものとしての、一種の口実だったのではなかったのか。三島におけるそのアジアというのは、何か本質的なものを内包していたのかという……

A：最後の質問から答えますけどね、今日喋ったのはそのことですよね。つまり、西洋に対する口実としてのアジアではないんだ、ということから始めたんです。ということは、「病としてのアジア」っていうのは、メタファーとして「病」って使ってるんだけど、同時に「病」というより、たとえばぼくの「千年の愉楽」って言葉を使えば、その「愉楽」としての、「千年王国」としてのアジア、ということを言ってもいいのかもしれないね。そういう形で、決してその、プレテキストとしてのアジアという形じゃなくて、つまりメタレベルとしての、メタ・メタレベルとしての（笑）、アジアということだと思うんです。

だから、もう一遍おさらいしますと、ヨーロッパがあって、アメリカがある。で、全然そのレベルではないんです。その、あるものがあってあるものが出てきたと、そういうレベルではなくて、さながらこうエイリアンと言ったらいいのか、そのアジアがあるんだという。三島はそのことを、図らずも書いてしまった。たぶん、僕が喋ってることを三島由紀夫に言えば、考えてなかったと言うかもしれないけど、それはこっちの、後で生きてる人間の、自由にこう読み替えする三島由紀夫ですからね。それは三島由紀夫がどう言おうと、あいつは死んでるから関係ない（笑）、そういうことだと思います。で、二つめは、いや最初はなんだっけ。

Q：最初はその、日本とアジアの……

A：こういうことを言えばいいと思うんです。あの韓国へよく行くんです。で、あるときはこう、六ケ月韓国に住んだことがあるんですけど、そこで金芝河（キムジハ）▼18っていう韓国の反体制派の詩人がいて、彼としょっちゅうつるんでるというつき合いをしてるんですよね。彼がやっぱり、三島大っ嫌いって言うんですよ。日本はアジアじゃないじゃないかっていう言い方で。つまり、三島なんか大っ嫌いっていう言い方するんだけど、僕三島由紀夫と金芝河っていうのはこう、双子なんじゃないかっていう気がする。僕、そう思うんです。で、もちろん韓国から見たら、三島の日本っていうのは、アジアじゃないっていうことが一つかもしれない。

だけど、今の日本、今の東京を考えて下さい。東京のあの、アメーバのように広がっていく浸透の仕方ね。つまり、昨日何もなかったところに、新しい金ピカのビルができてるっていう。さながらこう、ビルディングっ

▼18 金芝河　一九四一―二〇二二。韓国の詩人、劇作家。李承晩大統領の不正選挙をめぐって生じた四月革命（一九六〇年）に参加したことを端緒に、翌六一年に軍事クーデターで成立した朴正熙政権へも批判を行い、多数の諷刺詩を著す。七四年に軍法会議で死刑判決を受けるも執行を停止・釈放。以降も様々な活動を続け、七五年、ロータス賞特別賞受賞。代表作に『五賊』、『大説南』など。中上との対談に、「東アジアの新しい世界観」（『中上健次発言集成4』所収）がある。九六年五月二十三日、NHK教育テレビ（ETV8）の中上健次をめぐるドキュメンタリー番組「路地からアジアへ、そし

ていうのが、たとえば鉄と石とガラスとかっていう、そういうものでできてるんじゃなくて、なんかこう、草とか、紙切れでできてるんじゃないかって形で、できてくるんですよ。で、ばーっと浸透していくっていう。僕、これを「アジア」って言わないで何て言葉を使えばいいのか。

こんな形で、つまりどこの都市も、アメリカだってないし、もちろんヨーロッパだって、フランスにも見つかりませんよ。だから、単純に言うと、今まで例えば、われわれアジア人じゃなくて何とかって韓国でよく聞くけど、つまり韓国だって、やっぱ同じような形でこう、広がってくんですよね。昨日までここに、こう市場があったのに、突然なくなってすごいビルができてるとか。で、そのさながらこう、くっつかないものがくっついてるっていう。たとえば、紙と鉄とがこう、それを二つ溶かすと、溶かして何かできてるみたいな。そういう合金、合金でこう都市ができてくみたいなね。まあ、あり得ないことなんだけど。紙というこう、温度あるとバーッと燃えちゃうんだけど、それと鉄と、鉄とは溶けないけど、それが溶けてるっていうのが、僕はそれがアジアなんじゃないか、今の東京なんじゃないか、あるいは韓国なんじゃないか、そういう気がするんですね。だから、日本とアジアとの、結論的に言えば差異っていうのは、つまり、新し

て世界へ」に出演。〇六年秋に公開された映画『9.11-8.15　日本心中』（大浦信行監督）にも、針生一郎、重信メイらとともに出演している。

い観点に立てばないんだと。日本はアジアですよ。

（一九八五年十一月十三日、パリ、高等師範学校（エコール・ノルマル・シュペリウール））

音の人　折口信夫

講演をあんまりやったことないので心配です。というのもいちばん最初に早稲田大学でやったときの経験があるからなんです。そのときは平野謙全集からこんなふうに一冊持ってきまして、引用しまして、すぐに話に詰ってしまって三分後に「終わります」と言って帰った（笑）、ところが今日は折口先生の三十年記念講演という、折口を読み、折口から日々影響を受けている僕にとっては非常に嬉しい講演会に呼んでいただいたわけですから、話は下手なんですけれども、自分の思っていることをしゃべるだけしゃべりたいという気持ちでいっぱいなんです。

というのは、たぶん僕が今日これから皆さん方につたない言い廻しでお話しするのは、平たく言えば、「現代作家がとらえている折口信夫」ということになると思うのです。もちろん〝折口信夫　音の人〟というこの論の中心に切り込んで行くスタイルは変わらないのですけれども。

折口を話す前に、分かって頂かなくてはならないのはこんだけ日々、進歩して行く時代がここにあるということです。その世の中の動きに合わせて、それを受け止め、そこに生きるわれわれが近代的な生活に慣れてしまうことがあります。たとえば皆さん街を歩いておわかりだと思うのだけれども、それこそ片仮名や、英語・フランス語・スペイン語の表記のほうが多いんですよね。そういうことに端的にあらわれているんですが、われわれ現代に生きている者が、日本語すらもだんだん覚束ない状態になってきているのではないか。外来文化、外来思想、外来語を戦後生まれの私らは平気で取り入れた世代なんですけれども、そうこうしているうちに、ひるがえってみれば小説のほうが一体なにを書いていいかわからなくなってしまっている状況だと思うのです。

というのは自分の使っている日本語みたいなものが、現代そのものに揺さぶられ、波をかぶり、どこからどこまで本来のものなのか、判別がつかなくなってきている。日本語の大本の根幹みたいなものを失ってしまっているという状態だし、語彙が少なくなってしまっているし、それに素材にしても、現実のすばやい変化で、かつて十年前に可能であった素材でももう役に立たないわけなんですね。

そういう様々な状況に対して現代作家のなかで折口信夫を読んで、折口信夫の影響下にあると自他ともに認める作家としましては、物言いがある。その物言いの影に、たぶん折口に影響を受けるような形でしか作家は小説を書いていけないのではないかという自信とか傲慢な態度があるんですが、それは許していただきたい。

というのは、折口信夫という人は、読めば読むに従って新しい発見がある。新しいことを教えてくれる。折口信夫の書いたもの、折口信夫がなしたものというのが、一つの大きなテキストとして現代作家の前にあるわけです。

だからそれを読み返せば読み返すほど、新しい魅力が出てくるわけです。

それで、僕は自分の打ち明け話をしますと、いまちょうど非常に忙しいときなんです。韓国では十一月頃というのはちょうど冬が近づいてきますから、キムチを漬ける頃です。女たちが白菜を一斉に洗いまして、唐辛子を入れたり、塩辛を入れたりして漬け込むというので、たぶん今時がいちばん韓国の女たちは忙しい時期だと思うのですけれども、これは日本の作家もそうなんですね。ちょうど新年号の締切がだいたいこの二十日ぐらいでして、新年号というのは一種の顔見世みたいなものだから、それ書けというわけでやらされるわけです。

一昨年というのは、僕はちょっと気違いじみたところがありまして、気違いじゃなしに単に馬鹿ですけれどもね。全部の雑誌に書いてやろうと思いまして(笑)、だいたい今時分から、それまでずっと遊んでいたのですけれども、全部の雑誌に書こうと思って、三百枚ぐらい締切までに、合計四つの雑誌に書いたのですよね。

そのときは、こういうことなんですよ。昼が「新潮」で夜が「群像」ということで、一種、お女郎さんみたいな感じで書いていたのですけれども、今回は僕はもうちょっと戦略を練りまして、新年号に目にもの見せてやるというわけで、四百枚か四百五十枚ぐらいの長篇を書こうと思って今書いている最中なんです。それでさっきというか、けさの五時ぐらいまで、僕の友達の評論家の山小屋にこもっていまして、それで東京に出てきたのです。

それで東京に出てきて、折口信夫について、いま「国文学」で連載していますから、しょっちゅう折口信夫をあっちを読み返し、こっちを読み返したりするということはあったのですけれども、あらためて五時に帰ってきて、五時からずっと今までの間、折口信夫とはいったい自分にとって何だったのだろうと考えたのです。

それでそういう考えのもとに本を読み返してみますと、たとえば「山越しの阿弥陀像の画因」を読みまして、僕はちょっとびっくりしたのですよね。われながらびっくりしたというか、いま書いている小説というのは、『地の果て 至上の時』の次の作品展開みたいな形で出てくる小説なんですけれども。路地が壊れ、路地にあった裏山、それは一種、路地という神聖空間みたいなものを守っていた一種の結界みたいなものだったのですね。その裏山が壊れた。

そういうことで老婆が七人ぐらい、路地の若衆たち四人ぐらいに連れられて、冷凍トレーラーでずうっと移動するのですよ。移動して、最初は伊勢参りをして、それから一宮に行く。一宮というのは紡績工場のあるところです。老婆らが紡績に働きに行っていたというのでそこを訪ねて行って、そのあと諏訪に行って、それから諏訪から近江へきまして、日本のシルク・ロードというかコットン・ロードというかその道をたどって、動いていく……そういうことを書いたのですけれどもね。

それは単に僕の小説の展開で、路地がどうなって行くかとか、語部の老婆たちはどうなって行くのか。つまりそういうことを考えて展開していったのですけれども、それが「山越しの阿弥陀像の画因」というものを読みますと、自分のいま書いている小説が、一種女の旅であるという具合に読めてくるのですよね。普通、中央公論の文庫本では『死者の書』の自歌自註のようなものとして、「山越しの阿弥陀像の画因」は入っているのですが、僕のいま書いている小説の自歌自註として併録してもいいような気がしたんです。不思議で狐につままれたような気がした。

ああ、折口がまた出てきたと思った。折口を読んで折口が出てきたというのですけれども、僕の小説が折口が書こうとしていたこと、あるいは折口が見ようとしていたことを、いま僕が小説として見ようとしている。一体これは何なんだろうなということを考えたのです。

僕はそういうことがありまして、だからさすが折口信夫だとは思ったのですが、そういうところまで行くと、折口信夫というのは単なる個人という名前を越えまして、一種物語、あるいは日本文学の大きな意味のパラダイム、大きな意味の境界設定、テキストなんじゃないかと考え直したんです。

つまりどんなふうにやっても、これはちょっと折口信夫の掌の中から抜けられないのではないか。折口信夫の目の届く、折口信夫が指し示した範囲というか、たとえば古代から現代まで、折口信夫は非常に演劇にも関心がありましたし、あるいは読んでみますと謡曲みたいなものもつくっているのですね。あらゆることを彼は考えていた。

折口信夫というのは、実際にお会いしたことはないのです。というのは三十年前ですから、僕は今三十七なんですよね。それでお会いしたことないから、写真で拝見するだけなんですけれども、その写真を僕は最初に見たときに、すごいびっくりしたんですよ。

というのは、皆さん、僕の小説を読んでいただければわかるのだけれども、『千年の愉楽』という小説を書いていたのです。『千年の愉楽』というのは、語り手がオリュウノオバという、たとえば『死者の書』なんかで出てくる、絶えず物語を語っている、嫗ですね。『死者の書』では当麻語部嫗（たぎまのかたりのおむな）という、その嫗の位置に当たるのがオリュウノオバという語り手なんですね。そのオリュウノオバが路地という一種非常に特殊な神聖な空間のなかで湧いてくる命とか、死んで行く命とか、それをずっと見ている。それが一種ワープしまして、ぐるぐる渦巻いているというような、そういう構造なんです。オリュウノオバは取り上げ婆さん、産婆ですけれども、対になっているこっち側に、礼如さんという人がいるんです。それは坊主なんですけれども、坊主と言っても、この折口信夫や柳田国男なんかの扱う毛坊主の類なんです。

正式に出家して、そのなかでどこどこの宗派のなかに入っていて、修行を積んで、だんだん上に上がって行くという坊さんの世界の一種のヒエラルキーからはずれた、どうしても坊主がいないから、そういう人間が来てくれないから、自分らでつくりあげていくというのが毛坊主なんです。自分らで宗教心というか、信仰心が、お経の一つもなければ、死んだ者の魂が慰められないじゃないかということで、路地の人びとがつくり上げた、あるいは本人もそういうことをしたいということでやったのが毛坊主の類なんですけれども、その人が礼如さんです。この二人は実在したんです。実在の人物をモデルに借りたんですね。

礼如さんが死んだのが、僕が十二、三のときなんです。僕が中学に入るか入らないかのときだったと思うのです。折口信夫がその人の顔にそっくりなんですね。僕の記憶では、いつも家の仏壇のところへ来て、ぐにゃぐにゃお経をあげていた。だいたい子供は坊主であろうと毛坊主であろうと、ちょっと違う者を馬鹿にしますからね。祥月命日にお経をあげに来た礼如さんを、また来たよ、と顔をしかめ、ヘラヘラ笑っていた。路地の若衆の悪は、その毛坊主がお経をあげているときに、袈裟の襟からムカデをぽとっと入れたらしいのですよ。

何とか何とかとお経をあげていて、そのうち、ムカデムチムチクイックと身をゆすって、お経の文句のように言っていたと（笑）。僕はそのことは見なかったのだけれども、路地の者らは、笑い話にしていましたね。若衆も、姉らも、ほらまたムカデムチムチが来たと、そういう具合に言って指さしていたのですけれどもね。折口信夫はその礼如さんによく似ているのです。面影はよく似ている。ほんとにまったく同じ人なんじゃないかと思うぐらいそっくりなんです。

僕はそういう路地のなかで生まれ育ったので、路地の者や若衆と同じように僕のなかでも、ヒエラルキーからはずれているのに、何を好きこのんであういうことをやってという気持ちは子供心にあったんですけど、その礼如さんを讃える、尊敬する気持ちは変わらなかった。今でもそうですが、とてもありがたい人だったという気持ちは僕のなかにあるわけなんです。路地の人のなかにも、あるいは路地の若衆のなかにも当然あるわけです。

言ってみれば愛して戯れているみたいな、そういう状態なんですね。

オリュウノオバというのは実在しまして、彼女はほんとうにものすごく覚えているのです。なんかだんだん折口信夫と関係なくなってくるけれども、だけどまあこれは『死者の書』の世界だと思って聞いてください。その当麻語部嫗のところへ僕がたずねて行ったというふうに考えてほしいのですけれども、オリュウノオバが死ぬ頃に僕はそこへ行ったんですよね。

いろんなことを覚えているらしいから、いっぺん聞かしてくれと。そうしたら、お前は誰々の子で、誰々というのは誰それが親なんだと。というのは、僕の実父のことを言っているのですけれどもね、誰々というのは。そういう具合に次々言ってくれるのです。というのはオリュウノオバというのは、全部の祥月命日みたいなものを覚えている。全部路地のことは隅から隅まで記憶しているのですね。

礼如は字を知っていて、非常に几帳面な人だったのですよ。過去帳とかいろいろなものを残している。写真も残しているというので、その時、見せてもらったのですね。オリュウノオバはそれを持っていても全然読めなくて、何を書いてあるかわからないということなんです。

それを見せてもらうと、非常に丁寧な美しい字で、たとえば僕の兄貴なんですけれども、二十四で死んだと記してある。僕より十二歳上なんですけれども、僕は昔の名前を木下と言いまして、兄貴は木下郁平という名前なんです。木下郁平というのは二十四で木に皮バンドを括りつけて首吊って死んだ。非常に細かく、別の人は服毒して、こんなふうに苦しんで死んだという、そういうことまで綿密に書いているのですよ。僕はそのことを、さっきこの古代研究所の二階で折口信夫の書簡とか、非常に馬鹿っ丁寧な手帳みたいなものを見ていました時に思い出して、ああ、やっぱり同じ人だったのかと、そう思ったんです。

だから僕にとっては、三十年前に死んだ人なんですけれども、もちろん礼如さんは約二十年前に死んだ人なんですけれども、僕にとって、血肉になっている人という気がするんです。たぶんそれは、折口信夫をよく知っていた方から言えば、笑止の沙汰かもしれませんが、僕はそういう折口信夫というのを、ありありと見、それこそ文学、あるいは民俗学だ、そういうことに手をかけ、手を触れ、その本質、あるいはそれの力を引き出した人なんだと実感として思うわけです。いつもここで終わるんです。このあと自分が考えたことをしゃべろうとするとメチャメチャになる。私の考えをどこから、話そうかと思うのですけれども。

僕はいま「国文学」というところで折口信夫論を書き継いでいるのです。というのはそれは物語論ということが中心命題で、折口論のなかで、折口にとって物語というのはどんなのかということを『死者の書』を読みながらやっている。どんなふうに言葉に向かい合っているか、音に向かい合っているか、あるいは物語の構造に向かい合っているかということをやっている。その僕のやっている物語というのはこういうことです。

今日は短歌をやっていらっしゃる方も来ていらっしゃると思うのですけれども、まず第一等に文学、あるいは小説のなかにおいて物語という要素というのが非常にはっきりとあるということですね。それはまったく無視できない。どういう形にしろ、それはまったく無視できないのだというテーゼなんですね。

その物語というのは、たとえば短歌における五七五七七とか俳句における五七五とか、あるいは季語を入れるとか、そういう定型と呼ばれるものとまったく同じことなんだということなんです。

そのことを僕は、物語はすなわち定型であり、定型というのは一種、物語のなかに内在する構造、あるいは力学、あるいは物理学というものではないか、と思っているんです。

たとえばこういうことがあるんです。物語をずうっと読んでいきますと、小説のなかにおける物語の要素ということも含めてですけれども、主人公というのが、一種だいたい同じような形をとって現れる。では主人公はどんな形をとって現れるのか？　僕は孤児私生児だと思うのです。これは世界中の物語、あるいは日本の物語に限ってもいいのですけれども、ほとんどすべて物語の定型においては主人公というのは孤児私生児という形をとって現れるんです。

さらにとんで孤児私生児ということを考えて行きますと、たとえば例を出すと、今、僕はあまりテレビを見てないからあれだけれども、昔「みなしごハッチ」なんてなかったですか？（笑）ちょっと古いんですけれども、あまり子供と接触してないからまずいんですけれども、「みなしごハッチ」とか「キャンディキャンディ」とか、そういうものというのは、つまり「みなしごハッチ」がいみじくも名づけられたように孤児ですよね。

もう一つ私生児というのは、僕の『枯木灘』や『地の果て　至上の時』という小説なんかが典型的ですが、主人公の二つの条件とも、これは現実社会において、一種マイナスの要素を抱えているということなんですよ。小説をずっと読んでいると、そういうマイナスの要素を持った人物を使うと生き生きしてくるし、あるいは物語ものすごくダイナミックになってくるということがあるのです。

それを折口信夫はどんなふうに言っているかということを考えますと、つまりその主人公はこうでなくちゃいかんということは言ってないのですけれども、たとえば折口が見つけだした「貴種流離譚」とか、あるいは柳田国男が折口に拮抗するために見つけだした王が流されていくという、そういうものの中に、僕なんかがしきりに言っている孤児私生児の定型が入っていると思うのです。

僕はそのことが、折口が普通の人、柳田国男とか同時代の人以上に、あるいは室生犀星以上に、ほかの作家以上に小説のことをわかっていたと思うわけなんです。

だんだんむずかしくなってきた。たとえば論文だったらいいのですけれども、言ってみれば、貴種が流れる。貴種があるものから落ちて変転する。だからこういう具合に言ってもいいと思うのですよ。（黒板に書く）

つまり孤児私生児というのは何で主人公たり得るかとか、あるいは貴種が、何で流れて行き、大きな物語の主人公になり得るか。改めて考えて行きますと、つまり言ってみれば、最初は原型として神の位置があると思うのですね。神々の位置と言いますか。神々同士は何しても、それは神話の状態ですよ。何しても物語はまだ発生しない。

ところがこれが一種傷つくのですよ。ここに罰点をつける。ということは、たとえば物語の定型から言いますと、たとえば『宇津保物語』というのがあるのですけれどもね、あるいは『竹取物語』があるのですけれども、『竹取物語』はとくにそうですけれども、あの竹の筒のなかのかぐや姫というのは、竹の筒のあいう竹のうつぼのなかに囲われてはいるけれども、やはり孤児なんですね。どこから来たかわからない、そういう状態なんです。

ということは、もう少しリアリズムで考えますと、（黒板に書く）こんな状態になるのですよね。こういう孤児私生児という主人公の条件というのは、親から捨てられたということに非常に大きな中心的な意味がある。その中心的な意味のさらに意味するところというのは、親から捨てられたら死ぬということなんですよね。子供は、たとえば赤ん坊の無垢の状態のままだったら、そのまま生きていけませんよ。孤児私生児はいったん死んでから生き返ったものなんです。ということは、神話の神々と同じ条件ですね。つまり、主人公の孤児私生児とは、物語の時代にまだくっついた尻尾、かつて神であったことをあかす尻尾なんです。

つまりそうするためには、一種これがたとえば王子の場合でしたら、王子が子供の状態としますと、たとえば『死者の書』の大津皇子にしますと、つまりあの人は決定的な傷を受けて、落ちた神々というか、落ちた神様になる。物語の大きな主人公ですね。流されてしまう神様、結局流れる神様という形。

それで流れるとか流されるということが、もう少し面白い形になってくる。流れるもの流されるものが……これは逆に考えるべきです。神話と違って、物語では王子は流れる、流されるゆえに、王子であり、大きな主人公になる。その定型を踏んだものはいくつもあるのですけれども、たとえばこの『死者の書』という傑作も、大津皇子というのはそういう定型の最たるものです。

だけどさらに折口のすごいところは、流れる、流されるということから、貴種流離譚という命題を見つけてくることです。これは今、言いました流れるものが王になっていくという還流する構造が、物語である、という自覚を彼が持っているということなんです。

そのことが、物語論を展開していて折口から目を開かれるところなんです。物語の定型とかいろいろ言ってみても、定型というと動かないものという観念があります。五七五、それはどんなふうにも崩しようがない。五七五七八とかということになると、字余りとかいうことになるでしょう。

ところが貴種流離譚というのは、そういう枠組みが決まっている定型をもう一ぺん内側から枠組みを突き上げていくような力を持っているということを見、それに気づいていただきたいんです。

なんかだんだん先生みたいになってきたけれども(笑)、皆さんがはあと言っていると、僕は大学で教えて……小学校でもいいのですけれども、教える快楽を味わっているような気がします(笑)。僕はただ、折口信夫からの切り売りを言っているだけなんです。折口信夫がそういう命題を考えたときは、王家の物語からその情景を見つけ出してきた、単なるコロンブスの卵だということもできるのですが、そのコロンブスの卵がさらに転倒するというか、引っ繰り返ると物語の地平を新しくつくりだし、動かすということですね。コロンブスの卵のなかからヒヨコだと思ったらダチョウみたいなものが出てくるみたいな、そういう力があるわけです。

そのことが折口の物語論、あるいは折口が見つけている大きな世界を垣間見させることになると思うのです。その大きなものというのは、たぶん折口が絶えず見続けていた古代というものと引っ掛かってくると思うのです。

折口は日本文学史をやるにしても、あるいは民俗学をやるにしても、小説を書くにしても、あるいは詩を書くにしても、全部万葉の時代あたり、あるいはそれ以前というものを頭に置いているのですね。それがほかの同時代の作家たちと大きく違うところなんですけれども、その折口の古代というものはものすごい大きなパラダイムを形成しているので、これをこそ折口という大きなエクリチュール、折口という大きなテキスト、それ自体が一種、熱をはらんで、次々とエネルギーが湧き出してぶつかったり、反転したり、あるいはその内側でエネルギーが磨滅する凄まじい動きをやっているのではないか。

それが折口と柳田を大きく分けることでもあるのです。というのは折口信夫と同じように、柳田国男は当時民俗学という学問を確立したとても偉い人ですけれども、しかし柳田国男を読んでいるとなんか息が詰まってくるのです。

文学をやっているものから言いますと、柳田国男は民俗学に対して目を向けさせてくれるのだけれども、じゃ、それが文学理念として、文学に対して打って返すような、自分の文学を、さっき言いました内側から突き上げて、さらに反転し、引っくり返す力を持っているかと言うとどうもそうではないんです。それはたぶん折口が見ていた古代というもの……正直言いますと古代というのは訳がわからないものです。ある意味でインチキかもしれないのですけれども（笑）、そんなものがあったかないかわからないものですけれども、折口が見たわけではないですから。そういう不確かな、いつも中心に揺さぶりをかけるような古代というものを柳田は持ってなかった。じゃ柳田は何をもっていたかと言いますと、たぶん柳田は山人の一種ユートピア、山人の世界ですね。ただ時代が山人というものを追求さすような時代じゃなかったという条件もあったし、彼が同時に農林省の官僚みたいな仕事をしていたということもあったかもしれないけれども、自分の考えをすこぶる農耕的にとらえはじめてしまう。農耕的な考えのよってきたるもの、それで出てきたのが常民ということですね。

僕らにはっきりわかるのは、古代というものと常民というものとのその指し示す範囲の差です。その常民思想というのが実のところ、非常に気に食わないのですけれどもね。罵倒しはじめるときりがないのですけれども、つまりそういう常民思想みたいなものを、折口は古代という絶えず中心を揺さぶるもの、くつがえすものによって考えなくてすんだ。

古代というのは折口にとって、一種非常に大きいユートピアだったと思うのですね。『死者の書』を書くときに、古代というのがあるゆえに、折口は中将姫なら中将姫になり得る、そういう形をとっていると思うのです。

その古代というのが、折口を折口たらしめる大きな要素だと思うし、折口の物語論とか、折口の文学についての論法みたいなものを大きく豊かに広げたと思うのですけれども、それが今日言おうと思っていた、音というものの連鎖でできたような世界だと思うのです。

折口は一種、金太郎飴みたいなところがありまして、絶えず語源みたいなものを探っているのですよ。いつも折口を読んでいると、なんかで論争したときに、ああ、その語源はこうだということが言えるような、そういうヒントみたいなものが一杯あるんです。折口は語源を探る。たとえばうつほという語がありますと、うつぼ船というのがあり、また、打つとか訴えるとか、あるいはうつし世とか、そういう具合に考えていく。つまり語源から次々発生してくるという、そういう道をたどっているわけです。折口自身も語源をたどることに根拠なんかないんだと言っているわけなんですね。

たとえばわれわれがいま考えている歌というもの、それは打つというもの、あるいは訴えるというものと語源が同じなんだと折口は言っているのですけれども、折口の面白いところは、「たとえば、まだ意味があります。語源というものはいくらでも元があります」というふうにいくらでもありますと言うのですよ。

これを逆に考えると、言葉の中に分け入って行って、音に耳を澄ませて、あらゆることに、マグマみたいにうごめいている世界に、これも言える、これも言えると言ってみたりするということですね、その言の葉の力、言の力みたいなものに分け入って行く。それで行きつくのが古代なんですよ。

折口は絶えず古代を見ている。古代があるゆえに折口は見る。じゃ古代というのはわれわれの考えている、たとえば縄文時代だとか、あるいは旧石器時代だとか、ああいう古代かというと、そんなのじゃないわけです。折口はわれわれ、いま僕がしゃべっている言葉の内側にずうっと分け入っていて、言葉の中心、言葉がつまり音なら音、それを細分していって、「たとえば」というときに、タトエバと、Tの音とAの音とかKの音とかを聞きとり、Tの音はいったい何なのかという、そこを聞き分けるという、そういう能力を持った人だと思うのです。そのことが彼においての古代だったと思うのです。

それをもっと言いますと、折口は音というのは言であり、あるいは音というのは霊であり、あるいは物であると考えている訳です。もちろん、われわれは簡単に、音が言ではないということも言えるのですよね。音はストレートに言ではない。現代の言語学のレベルで言って、言語学で言うと音というのは音素的要素みたいなものですね。折口の次元における言というのは言ってみれば、シニフィアンとシニフィエが一種ぴたっと重なっているみたいな状態になる。そうするとそれは音素的な要素とイコールであるはずはないわけですよ。

ただ現代の言語学より折口がもっと面白いと思うのは、音が言であり、言が同時に魂である、あるいは霊であるという、言葉の還流に重きを置いている点です。われわれは言を分節化していって細かく切っていって、たとえば何もないというより、細かく切っていって切っていって、先のものが次々動き出していって、また別のものをつくっていくという、そういう要素を持っている方が豊かになるんですね。

それが推測する折口の一種、古代の秘密であったと思うんです。それが折口の健康なところでもあり、折口の強さでもあり、折口の書いたものを読んでいて、こちらは非常にわくわくしてくるような感じの源だと思うんです。自分が人より得したような気になる。自分のすぐそばに、古代の人、万葉時代の歌人が坐っていて、僕に何か言ったみたいな、そういう豊かな気になる。人を豊かにさせる古代、古代認識みたいなものがあるんです。折口氏が古代を考えていると豊かになり、浮いてきて、言にある魂が自分のなかにダイレクトに入り込んできたような経験を持ったと思うのですけれども、さらに、その豊かな古代がどんなふうに表現にあらわれて来たのか、と折口が考えているかと言いますと、語りの世界としてであったと言えると思うんです。

歴史的に言えば、語部の専門職があったのですが折口が見ていたのは、その語りや、言の葉、言霊に手を触れているというものは、単なる個人とかある部族とかに固定したものじゃなくて、流れてくるもの、移動してくるもの、そういう人びとが言の葉でもって、そこに先にいた人間たちとやりとりしたのではないかという具合に考えているわけです。折口は唱導の文学で古代を説明しようとしているのです。

僕はそのことは非常に画期的なことだと思うのですよね。……たとえばこういうことを言っているのです。折口は、要するに被征服部族、つまり外から来たものと戦争しまして負けまして、そうされた部族が一種の語りを持ってくる。その部族、これは複数ですけれども、そういうものが持っているという形を考えているわけです。それが同時に、たとえばこの間まで僕らが一生懸命読んだりしていたロシア・フォルマリスムのバフチンなんかの言っているポリフォニー理論みたいなものとくっつくんです。バフチンはドストエフスキーの小説のなかからポリフォニーというものを見つけだしたのだけれども、しかしながらバフチンなんかの言っているはるか先に折口が、言の葉を持つ人間の力の運動、語りの運動を見つめていた。それゆえに折口の古代というのが単なる貧しい一人の個人が切り取った古代ではなくて、言ってみれば部族や民族という大きな集合的個我みたいなものが集まったものであったわけです。古代の中心にあるのは言の葉ですけれども、それもここまで来ると、集合的個我の集まった言の葉というものになります。

だから音というのは単に音声に還元される音ではなくて、一種のバイブレーションだと思うのですよね。音はご存じの通り揺れないと音がでない。物が振動すると音が出る。バイブレーションですね。振動ですね。そういう振動の波みたいなものとして音をとらえている。

その折口の言の葉の中心にあるのがそういうバイブレーションだと思うのです。そのことは同時に、いまはやっている霊とか、魂の問題とも共通すると思うのです。

つまりバイブレーションというのは言ってみれば実体がないわけなんですよ。易学で言う気というものとしか言えないようなものだと思うのです。

折口を読んでいると、奇妙に生き生きしてくる。こちらに一種エネルギーが彼から注入されたような気になるということもそこから説明できると思うんです。

皆さん方、どんなふうに読んでいらっしゃるかわかりませんけれども。

だんだんなんか絶望的になってきたのですけれども（笑）、だんだんむずかしい方向に行くのです。言葉が……それこそ折口の言霊じゃないけれども、中上の言霊というのは、理屈があったら、その理屈の上にまた理屈を重ねて、また重ねて行くのです。最後は全然実体がなくなるのですよ。実体がなくなるのはいいんだけれども、自分で何を言っているのかわからなくなる（笑）。『死者の書』というのは日本文学のなかで一、二を争うという傑作だと思うのですよ。日本文学という大きな文学の流れ、物語の流れ、言の葉の流れのなかに僕らが今いるんですが、そのなかでこれは近代の影響を受け近代とぶつかった人間が、成しえた最高度の言葉なんではないかと思うんです。

だから正直言うととてもむずかしい。読めば読むほどむずかしくなる。たとえば大津皇子が首をはねられるときの政治状況とか、ざっとあらましぐらいは知っているけれども、もっと奥のそのときの国家の体系だとかそういう知識がないでしょう。

ただ僕が『死者の書』が何となしにわかる。姥の語りがオリュウノオバの語りみたいなものだなとか、書いているのは礼如さんだなということで、だいたい大きい意味で僕はわかるのだけれども、ほんとうの具体的な細かいことというのは、この折口ほどの学問に到達しなくては分からない。小説家なんてのはいい加減だから、全然駄目なんですね。僕ら、近代、現代の小説家というのは、どんどん言葉がなくなってきているのです。

さっき訥々と述べた言葉の、言の葉のエネルギーをなくしちゃっている。たとえば定型と言いますと、皆さん小説に定型があるというと、定型なんてあり得ない、小説はもっと自由に書くべきだと言うでしょうけれども、ほんとうは違うのですよね。定型があって、小説のなかでこれは面白いというのは、定型を非常に上手に打ち返すような形で使っているから、それはいいなと言われるのですよ。小説にも定型があるし、それは逃れられない宿命みたいなものなんですよ。そのことを今の小説家はほとんど自覚していない。

それは文学というものが入ってきたことによって、奇妙な西洋崇拝とか、西洋の文学理論崇拝みたいなものがあってしまい、たとえば花鳥風月と言いますと、みんな馬鹿にするようになったんですね。花鳥風月が悪いものの例みたいにとらえられてきましたよ。しかし、ほんとうは違うと思うのです。

というのは、花鳥風月というのは、同時に自然ととらえていいのですよ。そうすると花鳥風月というのは、名づけようがない自然に対して辛うじて、こっち側の人間の言葉の世界と、向こうの異界の霊の世界、異界の物の世界、物の怪、魂の世界の、その中間に立っている媒介者の役なんですよ。どっちへも行ける。定型がイコール駄目だとか花鳥風月が駄目だとかいうのは、非常に間違った言の葉のしっぺ返しを恐れない馬鹿なやつの言うことだと思うのです。世の中、いっぱい馬鹿なやつがいるけれど。

そういうことで、そういう面を持っている人間から見て、折口信夫の『死者の書』を読みますと、これは完全に近代というものではない、霊の世界ばかり書いている恐ろしいものなんです。本気なんです。いわゆる小説作法とは全然違う書き方です。一種演劇的にも書いていますが演劇でもない。演劇的と言うなら、演劇というものが必然的にはらんでしまう一人の人間が化粧して神の振りをし、日常から非日常に引っ繰り返ってしまうという、力を利用してのことだと思います。

そういうものが全部この『死者の書』という中に入っている。そのことをたぶん折口は書きながらものすごく自覚していたと思います。自覚していて、ほとんど無意識で書いていたと思います。それが同時に、僕の書き方でもあると思うんです。一カ月で百何枚書いちゃおうというわけで、ほとんど僕は書き始めると、こんなふとっていますけれども、普通はものすごい大食漢なのが、ものが食えなくなる。

食えなくなって、ただこの眼の上のあたりだけぼおーっとなんかありまして、それで手と目だけが動いているのです。たぶん書き方も折口さんと同じ書き方だと思います（笑）。皆さん信じられないと思うのですけれども、それはオートマティスムなんてそういうことじゃなくて、言の葉に突き動かされて、言葉に串刺しにされているみたいにして書くんですよ。原稿用紙に書いているでしょう。非常に細かい字で書くんです。ひどいときになると、全然寝てないで書くんです。

そうすると突然寝てないから、瞬間に夢を見るんです。夢が書き手の意識をぱっと切断するんです。たとえば今書いている小説は、老婆らがトレーラーで高速道路のなかに入って、高速道路のサービスエリアで自炊を始めるという設定なんです（笑）。路地を追われたので、もう行くところがないから、そこで暮らすしかないわけです。そこで自炊を始める。老婆が水道の蛇口をひねったときに、書き手が、ぱっと夢を見るのですよ。夢を見て、たとえば僕がどこかから突き落とされる夢だったりして、一瞬、ハッと思ったが、手は動いている。夢を見ながら手は動いているのですよ。ほんの瞬間ですよ。蛇口をひねった、と書いて、フニャフニャフニャと、なんかわけのわからないことを書いているのですよ。何なんだろうとあとで判読に困る。そういう状態まで、非常に高度なシャーマンというのは行くわけなんですけれども（笑）、折口はそういう意味で、これは礼如さんと似ているというより、今度は僕と似ていると思うのですが、折口がそういうふうに非常に高度な言の葉を錬金するシャーマンであったという気がするのですね。

だんだん馬鹿なことを言いそうでありまして、こういうところで終わりにさせてください。

どうもありがとうございました。

（一九八三年十一月十二日、折口信夫博士没後三十年記念講演）

坂口安吾・南からの光

安吾を読んだのはずいぶん前なんです。安吾と太宰の二人が競り合っているようなところがありますから、日本文化の二項対立にはめられたように、齢若い頃は二人のどっちが好きか、どっちが自分に近いかということになるんですね。僕は太宰の文学にはあまり惹かれなかったんです。逆に安吾に対しては、若い頃から今に至るまで、特別な思いがあるといっていい。

そのものの考え方、文学と生活と男性的な展開の仕方、すべて好きだし、それからもうひとつ、小説の書き方ですね。書き方がものすごく似ているような気がします。安吾はほとんどオートマティックと呼んでよいほど、ものに憑かれたように、短い時間で、思いのたけを吐き出すみたいなやり方で書く。そんなところが、僕の小説家としての気質に非常に近い感じがある。だから僕には、安吾というのは、日本文学の中では特別に二重マルをつけるという感じの作家なんです。

僕自身のことを少しいいますと、自分に近いと思う人間として、たとえば室生犀星がいたり、岩野泡鳴がいたり、あるいは意外かも知れないけれど田中英光にシンパシーを感じたりしているんです。まあ、女との関係がだらしなくなっているあたりが、田中英光に似ていたりとかね(笑)。また文学の物語性という点からいえば、谷崎潤一郎に共感して、影響を受けている。物語の血の濃度が似てもいると思っています。そういうわけで、僕はほうぼうから日本文学の血を受け継いでいるといえるでしょう。

伝統的な日本文学、あるいは伝統的なものを革新する日本文学——室生犀星なんか革新する側に入ると思うけれども、いずれにしてもそういう作家たちは日本文学という範疇の中にある。ところが安吾というと、そこからひとつずれているというか、ケタが外れているというか、特別なスケールを持った人だと思うんです。

たとえばこんなイメージなんです。日本には、万世一系といわれる天皇家がありますね。それを中心と見て、中心に向かって求心的に収斂していく日本文化のとらえ方がある。それはたぶん日本のなかの北方的性格だと思うんですよ。天皇家は朝鮮半島の王朝と深い関わりがあるように、朝鮮の家族を見てみると、ここでも万世一系なんです。ただしこちらのほうは、下々までことごとくが万世一系。町を歩いている金さんでも、李さんでも、全部万世一系なんですね。それぞれが中心に向かって収斂していく。これはやはり北方的性格だと僕は思うんです。

そしてこれまで考えられてきた日本文化の流れ、その流れのなかの日本文学というのは、そういう北方的性格とでもいうべきもののなかにすっぽり収まってしまうものだったわけですね。北方的性格を中心に論じられてきた。

ところが、坂口安吾の文学思想は、そこからストンとずれている。日本のなかに底流として厳存する南方的性格みたいなものを、強く感じさせるんです。日本列島は、太平洋と日本海の両側に黒潮が流れていますね。その黒潮の流れとともにもたらされた〈南〉の要素、〈南〉の思想が新潟生まれの安吾のなかにもあり、また〈南〉からの視点によって、安吾を理解することができる。安吾のなかに横溢している自由さ、自由な雰囲気は、南方的性格というのを考えさせずにはおかないんですね。

日本のなかの非常に重要な要素である南方的性格、これはいままで隠されてきたんです。いまになってようやく、南方があるんだということに気づきはじめたと思うんです。太平洋戦争で南進し、台湾、フィリピン、インドネシアへ入っていったにもかかわらず、南方的性格の認識はずっと不十分だった。いまになってはじめて認識できる状況になってきたようです。

戦後文学の重要な作家である島尾敏雄さんは、「ヤポネシア」という視点を用意して南方的性格に注目している。島尾さんの『死の棘』という北方的性格の小説ではなしに、『出発は遂に訪れず』の系列のほうに、その南方的性格は点在している。あるいは、大岡昇平さんの『レイテ戦記』は、南方的なものを対象に創造されたものともいえる。そういうものから影響され、そういうものを引き継ぎ、いま僕がこういうことを喋っているということになると思うんです。

いまの時点でようやくはっきり認識できる南方的性格が、安吾という日本文学のなかの異端児——本当の異端児だと思うんですけれども——そこにぽっと飛び出してきている。一九五五年に死んだ安吾に、南方的認識が歴然と現われている。それはやっぱりすごいことだ、と思うわけです。

安吾の文学の南方的性格について、もう少し具体的に話してみたいんですが、うまく喋れるかどうか、廻り道をして、僕が安吾のなかで発見したものをいくつか並べ、それを語っていくことで、「南方的性格」という言葉で僕がいいたいことが明らかになっていくかも知れません。

安吾の文学には、まずヒーローがある。それから柄谷行人がいう外部がある。外部と同時に、それと繋がっていくことですが、悪というものがある。それから、いちばん中心的な思想だと思うけれど、母ということ——もっといえば母殺しのテーマがある。ヒーロー、外部、母殺し、こういうものが発見できることが、安吾が僕にとっていまも新鮮でありつづける理由だと思うんです。

で、ヒーローの問題からいきましょう。

これは矛盾があるというか、少し厄介なんです。『白痴』にしても『二流の人』にしても、どこにヒーローがあるのか、せいぜい『桜の森の満開の下』の悪党にそれらしげな姿がチラッとかすめる程度で、ヒーローは具体的には書かれていない。ただ新しい形のヒーローが僕には見えてくるんですよ。だから、むしろヒーローが呼び込まれようとしている、といったほうがいいようです。

ヒーロー、あるいは超主人公とでもいうべき存在、それはどんな形で形成されてくるかということを僕はずっと考えてきたんです。

だいたい物語の主人公というのは、一定のタイプがある。それはまず、無垢な子供である、ということです。主人公は無垢である。どんな悪役でも、主人公として存在するかぎり、無垢にされてしまうという物語の構造がある。

そして主人公というものは一度傷を受けている。一度殺されかかったり、大きな傷を受けていたりする。これは別の形でいうと、孤児であり私生児であるという姿をとる。両親のもとにぬくぬくと育てられ成長した主人公というのはまずあり得ない。何らかの形で傷を受け、流されたり放りだされたりして、それがもう一度戻ってきて主人公になるということですね。そういうあり方は神話の原形にまでさかのぼって見ることができると思います。

主人公というものは、無垢である。無垢で、子供である。いつも主人公は子供として存在することになる。たとえ五十歳の男であっても、主人公として描かれると、さながら子供のようになる。ピュアであること、親であること、あるいは善人であることを装わなくちゃならない。そしてそれに対立するものとして、親であること、親の状態というものがあって、こっちのほうはつねに悪を装う。

そういう形式がいままでの物語のなかにはあった。たとえば日本でいちばん古いといっていいと思うんですが、『宇津保物語』などでは、主人公は子供の時に見捨てられた、私生児みたいな男である。それが北山の木のほこらに母親と一緒に隠れ棲むというかたちをとる。そういう伝統的発想がずっとひきつづいて日本の小説のなかにあるわけです。それで江藤淳さんなどが、なぜ治者の文学がないのか、主人公がなぜいつも子供なのか、といって戦後文学を批判することにもなる（笑）。

たしかに、みんながみんな純粋を装うでしょう。ピュアで、子供であるふりをする。野間宏さんなんかも、自分は正義でしょう。軍隊のことを書いてもね。しかもそういう立場で軍隊をとらえても、やったことを外から見れば、ひっくるめて悪であったことは否定できません。アジア全体から見れば、悪魔の集団だといわれてもしようがない。文学はなぜそこのところが書けないのか、ということを考えたんです。

根本的にわれわれがいまそのなかにいる文学という制度のなかに、何かそういう仕組みがあるんだ、ということです。軍隊を書こうとしても、主人公に関するかぎり、悪のメカニズムのなかにはまり込んで悪を行なうということを、外からの眼からきちっと見るようなかたちでは書けない。何かいつも言いわけをして、俺はピュアで、悪いのはあいつらだったんだというかたちにしかならないんですね。僕は、そうじゃないものがあるんじゃないかと思い続けているんです。

そうじゃない主人公があるんじゃないか。悪であり、同時にピュアでもあるという主人公が。父ではない、つまり悪そのものではない、しかし、子供でもない、純粋で、ベタベタして、たえず自分は正しいと思っている人間でない者。つまり中間項があるんじゃないかと思ったんです。それは、たとえば紀州なんかで、「あに」と呼ばれる人間、別のところで「あんにゃ」と呼ばれる人間、父にも子にも属さない人間が想定できる。それが本来の主人公ではないか、それが僕らがいま創造しなきゃいけない主人公なんじゃないかと考えたんです。紀州の「あに」や詩人の黒田喜夫のいう東北の「あんにゃ」は帰属するところがないから、同時に、宙吊られてもいるので、少し蔑称のニュアンスもあるんですよ。無用の者のようなニュアンス。しかしそのニュアンスが大事なんです。悪や悪業を描く『平家物語』や吉田満の『戦艦大和ノ最期』の視点にもそのニュアンスはつながるのです。

坂口安吾が呼び出そうとした主人公も、紀州の「あに」とか東北の「あんにゃ」とかいわれる類の自由であり、帰属をもたない無用の者だったと思うんです。それがヒーローでなければならないという思想が、安吾の無頼の中心を形づくっていた。俺は家なんか作りやしない。普通の父親なんかになりやしない。俺はガキじゃない、甘ったれて太宰のように自分は純粋だと思いたがったり他人に言ってもらいたがったりはしない。安吾の無頼をつくり、いなせをつくり、男らしさをつくったのは、紀州の「あに」がヒーローであるべきだという思想だったと思う。そして、僕自身、そういうヒーローの系譜をずっと追っているみたいなことがあります。いま書いている『火まつり』っていう小説でも、やっぱりそういう主人公を設定しているんです。

ただ、坂口安吾の場合、難しいのは主人公の姿が見えないということです。その人物がどこにいるのか、わかりにくい。しかし、『白痴』はたとえば、インテリの破(さ)け目からものを言っているようなところがあって、そこからチラッと見えている。また、『青鬼の褌を洗う女』の場合だと、あの女が引っぱってくるはずの男、あの女と対になるような男、それが僕には見えるんですよね。それは書いていない。そこだけポカッと空いている。その空いている場所にくるのは紀州の「あに」で、「あに」のようなヒーローだったら、その女につり合うだろうという意味なんです。

安吾はヒーローを出さずに、それにつり合う女を出してきた。その女、『青鬼の褌を洗う女』の女とはどういうものなのか、これは後でもう一度話すことにしますが、ともかくヒーローを呼びこむようなかたちで、それにつり合う女が先に出てきているということが、またおもしろいですね。

どうも、安吾の全集なんか読むと、彼自身が巨大な主人公、つまり紀州の「あに」であったという感じがするんですよ。彼自身が「あに」的ヒーローたらんとした。

それには時代ということが大きな意味をもっていたのかも知れません。あの時代、一九四五年から五五年までの十年間というのは、おもしろい時代だったでしょう。安吾にしてみれば、小説をつくるなんていうのはいちばん最後にやればいいじゃないか、という思いだったんじゃないか。おもしろい時代だからそのなかでパフォーマンスしちゃうってわけですね。それが「戦後」に立ち会った、無頼派といわれる作家たちの精神だったと思うんです。太宰だって、彼なりにパフォーマンスしてたわけでしょう。

そういうふうな自分の生き方として、先にパフォーマンスによって自己表現しようという衝動は、僕なんかにもありますよ。この日本で生きているかぎり、しかも文壇というものにひっかかっているかぎり、そういう気持ちが先に立つ。ここはあんまりスクエアな人間ばっかりでしょう。お勉強で出てきたような人ばっかりでしょう。文学者ほど自由に奔放に生きなくちゃいかんというのに、そういう人間が集ってくるはずなのに、入学試験や入社試験に通って入ってきたみたいな文壇ですよね。誰もがみな同じ背広を着ているというわけでしょう。そうすると、こんなものにつき合っちゃいられないという感じで、自分だけで自己実現をしちゃおうということになってくると思うんですよ。

僕の小説で、よく年下の人物が年上の人物のことを「あに」と呼んだりするんですけれども、そういう「あに」としての文学が、安吾の思想の中心にあると思うんです。それは人間を閉塞してくるものを突破していく力があり、非常に大きな意味を孕んでいる。父でもない、子でもないということ。「あに」である。別の言い方をすれば、「男」であるということになる。父とか子とかの役割を踏んづけていくようなもの。そういう「あに」もしくは「男」が、アジア一帯に浸透している「母の文化」とどう関わるのかという問題が次にあるわけです。

安吾は、「あに」をヒーローとして直接的に描かずに、とりあえずそれにいちばん近い観点というものを設定し、そこに立った。小説は全部そうだけれども、『堕落論』や『日本文化私観』のような評論でも、とりあえずいちばん近い観点に立ってやった。それは庶民の女の眼です。母の眼といってもいい。銃後を担わされた母の眼です。たとえば爆弾が落ちて、なにがなんだかわからないような混乱のなかで、平気で子供を産んでいる。平気で混乱を呑み込んでしまう。それは、いまアジアの戦乱のなかでワーッと右往左往している女たちの立場でもある。爆弾で子供が死んで「ワーッ」と泣き叫んで、次の日はもうそれを忘れたように走りまわっている。自然をどう扱えばいちばん自分の実になるかというようなことを知り尽している女たちの、知恵みたいなもの、あるいは思想みたいなもの、そういうところに安吾はとりあえずの視点を置いた。そこからものを言いだしているんですが、それは仮に確保された視点だと僕は思うんです。

父と子の対立という観点からいえば、母の思想というのは、やはり父に対立してしまう。しかし母のなかの女、母であり女であるということになると、その女はそういう対立の枠組みにははまらない女なんですね。父がふつう見ているような女じゃないわけですよ。家の中に閉じこもっていた女じゃない。爆弾が破裂して、女がむき出しになったような女。男を次々に取り替える。男を味わおうとするような、そういう女ですね。

三段論法みたいになるんですが、そういう女を出してきて、その女の観点に立つというのは、要するに自分がその女とペアになれるという自覚があるといえるわけです。そういう女をもってくることで、「あに」が呼び込まれるというのはそういう意味です。

「あに」そのものをストレートに前面に出そうとすると、すぐに父と子の対立という従来の制度のなかに堕してしまう。そういう危険がついてまわる。それで、庶民のバイタリティの化身のような女を設定し、仮の観点を確保しようとした、というのが僕の考えなんです。

父子対立になってしまうと、北方的性格、北方的文化制度のなかで身動きがとれなくなってしまう。日本の近代文学の主流は、いつも父と子の問題だった。島崎藤村にしても、中野重治にしても、父と子を機軸にして社会と人間を考えようとしてきた。安吾はこれを避け、これを根本から超えようとして、母になり得る女、いろんな要素を併せ呑んでいるような「女」という強い存在を確保したと思うんです。

しかし、そうすることで母に対する讃美が出てくるかというと、そうではない。母への讃美にならないところに、独創というか秘密というか、そういうものがあるんです。

坂口安吾のことを考えるとき、僕の頭のなかには、バリ島が一種のモデル・ケースとして働き続けているんです。バリ島については中村雄二郎さんなんかが精密に論じているし、僕はそういう文化人類学者の著作に影響を受けているんですけれども、バリ島と日本に共通しているのは、母の文化圏であるということです。日本の制度がどんなに父を前面に出そうとしても、それは母の文化のひとつの変形にすぎないというふうに、バリ島に行くと見えてくるんです。家とかなんとかいうものは、母の大きな流れのベクトルのなかでとりあえずつくられてしまったものだという気がするんです。

バリ島には、仮面劇とかいろんな芸能が残っていて、そのなかにバロンダンスというのがあるんです。ひとつの王家があって、王子がいて、王子が追放される、というようなどこにでもあるようなパターンなんですが、そこに魔女ランダというものが登場する。魔女ランダというのは、大母（グレート・マザー）です。乳房がこれみよがしに垂れ下っていて、目をひんむいている魔女。それが人間を金縛りにし、霊魂を吸い取る。そして魔女ランダは「悪」の方なんです。これに対し「善」の方は、バロンという、これはライオンみたいなやつなんです。そして魔女ランダとバロンが戦うんです。ずっと戦いつづけて、結局永遠に決着がつかない。死んでもなお戦う。

僕は、この魔女ランダというのが、安吾が発見した女の力の土壌としてあると思うんです。そして魔女ランダによって呼び出されてくる主人公がバロンです。だから彼の小説のなかの女たちは、バロンを求めて彷徨しているという感じがするんです。バロンを、つまり自分を殺してくれる相手を求めて彷徨している、男を取り替えながら。

バロンの側からいうと、グレート・マザーとたえず対立して、戦っている。緊張関係にある。ということは、永遠の若さを維持して齢をとらないということですね。父になってしまわない、どこかに収まってしまわない。グレート・マザーに帰依するんだったら、誇示している垂れ下ったオッパイにしゃぶりつけばいい。そして子供になればいい。戦うというのは、子供にならないということです。これは別の角度からいうと、男根の発見みたいなものだと思うんですね。男であり続ける、そして戦い続ける。

安吾のもっている意味というのは、太宰を根本的に否定することだと思うんです。あるいは、戦後文学がこれまでずっとやってきたことに対する根本的な否定だと思うんですけれども、そこにはものすごく大きな意味がありますね。

野間宏さんにしても椎名麟三さんとか、その周辺の作家たちにしても、戦前からの文化制度のなかの発想と何ひとつ変わっていない。根本的には何ひとつ変っていない。風俗だけが変わっているだけだ、だから、風俗しか書かれていない。同じ時期に書かれた安吾の文学だけが、ひとつ新しいむき出しの思想を表わしている。男性原理対女性原理というところまで抽象的に高められたものがある。

バリ島の魔女ランダとの親近性を指摘できるように、安吾の発想はアジア全般にわたっているものでもあると思うんですが、安吾がどういうふうにそれを引き出してきたかというのが謎ですね。パーリ語をやったりサンスクリットをやったりしているけれど、たんにそれをやったから出てきている、というものでもないですしね。本当に謎めいていると思いますよ。

それから次に、安吾にとっての外部の発見ということがあります。安吾の外部に対する想像力というものが、これまたすごい、と思う。

不思議なことですが、彼の主人公はすべて被差別民のようなおもむきがある。たとえば『夜長姫と耳男』の場合はサンカといってもいいと思うんです。また『白痴』の舞台は、かつての被差別部落である、そう認識していいと思うんですよね。彼がどこに小説の舞台を設定しているか、人物をどのように設定しているかを見ると、彼は外部に対してケタ外れの想像力をもっていたと考えられるんです。

そして外部というものを的確にとらえることができれば、タテに並んでいたものが一挙に全部横に並ぶ、という力学が働くわけです。たとえば、日本をアジアのひとつとして認識するということになる。日本を中心と思っていないし、日本に中心があるとも思っていない。日本にもあらゆる階層の人間がいて、いろんな言葉を喋っていて、それがぶつかってダイナミックな動きをしている。そういう認識になっていくわけです。

たとえば日本の古代の王朝についても、新羅、百済の対立があって、それがそのまま王朝の成立に反映している、ということを安吾はハッキリいってるでしょう、『飛鳥の幻』とか、『飛騨・高山の抹殺』などのエッセイで。それは、実はひとり安吾の発見したものではなかった。たとえば、かつて伊藤博文を撃った安重根、いまはむこうで国民的英雄となっているけれども、それが声明文みたいなものを発表して、同じようなことを言っているわけです。だから、大和朝廷の成立というのは、戦前でもまあ公然たる秘密のようなものだったと思いますよ。そして日本が朝鮮を併合したときに、日本のなかにそういうものがすーっと持ち込まれてきた。朝鮮を併合するということは、併合する当の相手から文化的に批判されるということでもあるわけですからね。日本が武力でのしかかっていくと、向こうからは文化浸透を受ける。戦争をして勝ったとしても、ある面では負けているかも知れないということがあるわけでしょう。朝鮮を併合した。そうすると向こうの考え方が、あるいは文化の本質が否応なく入ってきて、こっちの姿を批判する。外部によって、タテであったものがヨコにされてしまうということの一例です。

外部から見ると、日本独自のものだと思っていたのが、実のところ他所（よそ）から来たということが明確に分かりますね。われわれの使っている文字をはじめとするいろいろな文化、それは外国から来たものですね。だからすぐに日本本来のものというようなとらわれ方をしないほうがいい。他所から来たものが、ここで熟したんだと考えたほうがいい。そのことがなぜか隠蔽されて、安土・桃山あたりに形をなしたものを日本古来のものといいくるめている。それはいまでも続いていますね。能、歌舞伎、お茶などを、日本独自のもののように考えがちだけれど、違いますね。アジア一帯にひろくあるものです。そのうちの、日本的形態にすぎないわけです。ポリネシアのひとつの島ではこんなふうに展開されている。韓国ではこんなふうになっているという、そういう比較で語られるべきものです。もちろん日本だってオリジンはもっている。アジアの一地域として、ひとつのオリジンはもっているけれども、それは変化しているもののひとつで、日本しかないということではない。安吾は、日本しかないというような考えをぜんぜんもたなかった。

こういうことがあります。たとえばカースト制を考えると、日本には王朝があり、天皇の下にカーストをつくっていった。そして天皇と国がイコールで結ばれていた時代があったわけですね。ところが、頂点に立つ支配者からの視点ではなく、被差別民のほうから見ると、タテ軸がヨコ軸になって、ヨコの連帯ができる。単純にいうと、被差別民の方が、アウト・カーストの方がアジア的つながり、アジア的特性をよく示し得る。アジア一帯に流れているものが、よくそこに現われる。だから天皇がタテ軸でさし示すインターヴァルより、被差別民がさし示すインターヴァルの方が長いということができると思うんです。安吾は、直観的にだとは思いますが、そういう視点に立っていると思うんです。

『夜長姫と耳男』の場合は飛騨の職人の話ですが、あれがフィリピンの島の話だっていいわけですよ。そんなふうな自由さがあるわけでしょう。日本の、中世頃の飛騨を舞台にしながらそんなふうにとらえている。タテのものが、一挙にヨコになっているというイメージなんです。

戦前の左翼プロレタリア文学と新感覚派なんかの影響で出てきた戦後文学には、安吾がもち得たようなそういう視点がほとんどない。いまから見ると、これはすごく保守的な、体制的なかたちをとっている。プロパガンダとして革新的なことを打ち出してはいても、そのプロパガンダを消してみると、文学の姿として見ると、何ひとつ新しくない。戦後文学の方が、安吾とくらべてずっと古い。安吾というのは、戦前からの作家で、左翼思想があったから出てきたという人じゃない。だから不思議なんですね。

むしろ、江戸時代の、たとえば上田秋成なんかとスポッとつながっている。そんな感じがしますね。秋成は、自分を中国人と思っていたようなところがあるでしょう。指が奇形で目が悪かった。そして差別・被差別ということにすごく関心があった。彼が論争した相手である本居宣長にはそれがスポッと抜けていて、まったく関心を示していない。宣長は上ばっかり見ているんですよ。秋成と安吾、これがぴたりとつながるような気がしますね。

安吾には、何かポスト・モダン、いやポスト・ポスト・モダンといったところがありますね。モダンが戦後文学の作家たちだとすると、そこから二歩ぐらい先に突出している。意外にそういうことなのかも知れません。

それにしても、安吾がもち得た自由さというものが、不思議といえば不思議ですね。あれはどこから来ているのか。

このあいだ、南の果ての与那国島へ行って、与那国をオートバイで走り回ったんです。突拍子もないことをいうようですが、そこで風というものをつくづく考えた。元素的なものを作家のなかに見るとすると、太宰なんかだったら「水」ですね。水で死んでもいる。安吾は「風」なんです。『風博士』の風。

風というのは、たしかにものすごく自由なんです。オートバイで走っているのと、四輪で走るのと、どう違うかといえば、やっぱりオートバイはじかに風を受けるということです。風を受けるとすごく疲れるけれど、じかに迫ってくるものを突破していくという、男根的発想になるんですよね。そしてそれを突破していくと、「ああ気持ちいい」という、自由な感覚がすぐ隣りに横たわっているという感じがするんです。これが文学思想とどうつながるか分からないけれども(笑)。しかし、バシュラールがやった元素と想像力みたいな展開を考える必要があるかも知れないし、神秘主義みたいなところに行ったり、シャーマニズムみたいなところに行ったり、そういう動きをしてみないといかんと思うんですけれども。

風の自由というものがある。どこにでも行けるし、どんなものにもなれる。そしていつも皮膚で感じとる。水が臓器感覚とすれば、風は皮膚感覚。

もうひとつ、安吾にはすごい徹底性みたいなところがありますね。徹底的に、ストレートに掘り下げていくような思考方法。その徹底性が、たとえば小説を書くときだと、文章を短い時間に憑依状態で書くというふうに現われる。それは僕なんかにもあるんですよ。徹底的にものを考えようとすると、ある時間を書けるようになるまでずっと待っていて、パッと憑かれたように書く。そういうことと照応するのか、安吾の書いた主人公たち、とくに女たちの場合ですが、誰もかれもが、一種の徹底性をもっていますよね。

徹底的にものを考えようとする安吾を見ていると、彼には、明視というものに対する絶対願望があったんじゃないかと思うんですよ。それは宮沢賢治なんかにもあったと思うんですが、明るいところで、ハッキリものを見るという願望。たとえば安吾の残した色紙に、「南の果に　雪の中の男来りて　汚なき光に酔いぬ　北国人　安吾」というのがありますが、ここにくっきり顕われている明視願望、それがほんとうにものを見るということなんだという考えですね。折口信夫なんかにも、そういう透明なものに対するかぎりない憧れがあった。

折口信夫は一時コカインをやっていたんですが、コカインなんかやると、そんなふうになるんですよ。安吾はコカインをやってたんじゃないかな（笑）。

明視への願望は、南への願望、南の光への憧れにまたつながっていくんです。紀州・熊野なんかもそうなんですが、やっぱり南でものを見ると、くっきり見えるんですよ。いままで目にヤニがついて霞んでいたんじゃないかと思われるぐらい、くっきり見えることがある。そしてくっきりものが見えてくると、その向こうにさらに深く何かが隠されているという感じがしてくるんです。そういうたぐいの明視願望が安吾にはありましたね。

さらにいうと、自分を純粋無垢だといつも思おうとしている人間は、そういう明視のなかに入り込めないのじゃないか。安吾は、やっぱり自分という存在が、悪だと思っていたでしょうね。自分を汚いとは思わないが、悪であると思う。そして悪人が、すべてをくっきり見る、そういう明晰さに憧れていたのではないか。そういうものが彼にあったと思うし、僕にもある。そしてくっきりものを見ると、くっきり見たその向こう側に、奇怪な幻想めいたものが出現する。たとえば桜の花をくっきりと見ると、その向こうに、わけの分からない霊魂のようなものが現われる気配がある。深く隠されているものがあると確信できる。

……僕は、自分にとって大事な作家に会いそびれているんです。三島由紀夫にも会いたかった。谷崎にも、室生犀星にも会いたかった。一九五五年に死んだ安吾にも会うことができなかった。だけれども、ことに安吾はそうだけど、いまでもそこにいるように思えるんですよ。自分が会ったように想像できる人なんです。

（一九八五年九月十五日、ホテルニューオータニ）

エスパース・デポック図書館
中上健次氏の本棚――物語／反物語をめぐる150冊

小説ってそんなに難しいものではない。ただ、書くことと読むこと、というふうに考えはじめると、結構、頭をひねる。

小説の書き方にも色々ある。実感的に書く人もいれば、頭をひねりひねり書く人もいる。考えた事を顕わに残す人もいれば、砂をかけて埋めてしまう人もいる。自覚してか、無自覚でか、物語の型どおり書く人もいれば、物語にイヤイヤしながら、結局は物語の型に納まる人もいる。

物語―反物語という言葉は、言ってみれば二十世紀も終りに近づき、世界中で根づいた感のある小説を、臆せずにグルメになったり料理人になったりして味わい直したり、作り直したりしてみようという掛け声のようなもの。オートミールもあれば、フォアグラもある。チャーハンもあれば、お茶漬けもある。初めから終りまで問題は食べるか、作るか、そのどちらか。その百五十冊。

1 『古事記』（岩波文庫）
2 「宇津保物語」（『日本古典文学大系10～12』岩波書店）
3 『日本霊異記』（東洋文庫、平凡社）
4 『太平記』一・二（角川文庫）
5 『往生要集』一・二（東洋文庫、平凡社）
6 『神道集』（東洋文庫、平凡社）
7 『説経節』（東洋文庫、平凡社）
8 「謡曲集」（『日本古典文学大系40～41』岩波書店）
9 上田秋成『雨月物語』（旺文社文庫）
10 上田秋成「春雨物語」（『春雨物語・書初機嫌海』新潮社）
11 近松門左衛門「心中天網島」（『日本古典文学大系53』岩波書店）
12 曲亭馬琴「椿説弓張月」（『日本古典文学大系60～61』岩波書店）
13 佐藤春夫「佐藤春夫集」（『現代文学大系 第二十七巻』筑摩書房）
14 谷崎潤一郎『吉野葛』（新潮文庫）
15 谷崎潤一郎『春琴抄』（新潮文庫）
16 谷崎潤一郎「少将滋幹の母」（新潮文庫）
17 谷崎潤一郎『陰翳礼讃』（中公文庫）
18 三島由紀夫『仮面の告白』（新潮文庫）
19 三島由紀夫『サド侯爵夫人』（新潮文庫）

20 三島由紀夫『英霊の聲』（河出書房新社）
21 深沢七郎『楢山節考』（中央公論社）
22 梅崎春生『幻花』（福武書店）
23 徳田秋声『あらくれ』（新潮文庫）
24 坂口安吾『白痴』（角川文庫）
25 坂口安吾「教祖の文学」（『坂口安吾選集 第十巻』講談社）
26 川端康成『禽獣』（角川文庫）
27 武田泰淳『ひかりごけ』（新潮文庫）
28 武田泰淳『富士』（中央公論社）
29 武田泰淳『めまいのする散歩』（中央公論社）
30 安部公房『砂の女』（新潮社）
31 安部公房『箱男』（新潮社）
32 円地文子『花食い姥』（講談社）
33 円地文子『なまみこ物語』（新潮文庫）
34 森敦『月山』（河出書房新社）
35 小島信夫『抱擁家族』（講談社文庫）
36 藤枝静男『田紳有楽』（講談社）
37 瀧井孝作『俳人仲間』（新潮社）
38 宮沢賢治『風の又三郎』（新潮文庫）

39 和田芳恵『接木の台』(河出書房新社)
40 檀一雄『火宅の人』(新潮社)
41 水上勉『雁の寺・越前竹人形』(新潮文庫)
42 水上勉『金閣炎上』(新潮社)
43 遠藤周作『沈黙』(新潮社)
44 開高健『日本三文オペラ』(新潮文庫)
45 大江健三郎『個人的な体験』(新潮社)
46 大江健三郎『万延元年のフットボール』(講談社)
47 大江健三郎『新しい人よ眼ざめよ』(講談社)
48 石原慎太郎『行為と死』(新潮文庫)
49 石原慎太郎「処刑の部屋」(『太陽の季節』新潮文庫)
50 石原慎太郎『化石の森』上・下(新潮社)
51 安岡章太郎『流離譚』上・下(新潮社)
52 古井由吉『円陣を組む女たち』(中公文庫)
53 李恢成『伽倻子のために』(新潮文庫)
54 金時鐘『猪飼野詩集』(東京新聞出版局)
55 小林美代子『髪の花』(講談社)
56 島尾敏雄『死の棘』(新潮社)
57 田中小実昌『ポロポロ』(中央公論社)

58 吉行淳之介『すれすれ』（角川文庫）
59 村上龍『コインロッカー・ベイビーズ』上・下（講談社）
60 島田雅彦『優しいサヨクのための嬉遊曲』（福武書店）
61 ジャン・ジュネ、朝吹三吉訳『泥棒日記』（新潮文庫）
62 ジャン・ジュネ、堀口大学訳「薔薇の奇跡」（『ジャン・ジュネ全集 第三巻』新潮社）
63 ジェイムズ・ジョイス、安藤一郎訳『ダブリン市民』（新潮文庫）
64 ジェイムズ・ジョイス、丸谷才一訳「若い芸術家の肖像」（『世界文学全集71』講談社）
65 ジェイムズ・ジョイス、丸谷才一他訳「ユリシーズ」Ⅰ・Ⅱ
（『河出世界文学大系73～74』河出書房新社）
66 ジェイムズ・ジョイス、大沢正佳他訳「フィネガンズ・ウエイク」
（『世界の文学1』集英社、抄録）
67 ウィリアム・フォークナー、篠田一士訳『アブサロム、アブサロム！』（集英社文庫）
68 ウィリアム・フォークナー、龍口直太郎訳『フォークナー短篇集』（新潮文庫）
69 ノーマン・メイラー、山西英一訳『裸者と死者』上・中・下（新潮社）
70 フィリップ・ロス、佐伯彰一訳『さようなら、コロンバス』（集英社文庫）
71 ジェイムズ・ボールドウィン、野崎孝訳『もう一つの国』（集英社文庫）
72 ミシェル・ビュトール、清水徹訳『時間割』（中公文庫）
73 エルンスト・ブロッホ、菅谷規矩雄訳『未知への痕跡』（イザラ書房）
74 アラン・シリトー、丸谷才一・河野一郎訳『長距離走者の孤独』（集英社文庫）

75　ロベルト・ムジール、加藤二郎・柳川成男・北野富志雄訳「特性のない男」
（『世界文学全集 第二集 第二十三巻』河出書房新社）
76　ジャック・ケルアック、福田実訳『路上』（河出文庫）
77　ウィリアム・バロウズ、鮎川信夫訳『裸のランチ』（河出書房新社）
78　アレン・ギンズバーグ、諏訪優編訳『ギンズバーグ詩集』（思潮社）
79　ギュンター・グラス、高本研一訳「ブリキの太鼓」（『世界の文学21』集英社）
80　アレクサンドル・ソルジェニーツィン、木村浩訳『収容所群島』全六巻（新潮社）
81　トニ・モリスン、大社淑子訳『青い眼がほしい』（朝日新聞社）
82　リチャード・ライト、高橋正夫訳「ブラックボーイ」（『世界文学全集92』講談社）
83　トルーマン・カポーティ、龍口直太郎訳『冷血』（新潮文庫）
84　フラナリー・オコナー、須山静夫訳『オコナー短編集』（新潮文庫）
85　ルイ＝フェルディナン・セリーヌ、生田耕作訳『夜の果てへの旅』上・下（中公文庫）
86　ルイ＝フェルディナン・セリーヌ、高坂和彦訳「なしくずしの死」
（『セリーヌの作品 第二巻〜第三巻』国書刊行会）
87　ルイ＝フェルディナン・セリーヌ、高坂和彦訳「北」
（『セリーヌの作品 第八巻〜第九巻』国書刊行会）
88　金芝河「南」（「海」一九八三年四月号、中央公論社）
89　金芝河『苦行』（中央公論社）
90　尹興吉、姜舜訳『長雨』（東京新聞出版局）

91 中上健次＋尹興吉『東洋に位置する』（作品社）
92 洪相圭訳「春香伝」（『韓国古典文学選集 第三巻』高麗書林）
93 『現代韓国文学選集』全五巻（冬樹社）
94 金素雲他訳『未堂・徐廷柱詩選——朝鮮タンポポの歌』（冬樹社）
95 ホルヘ・ルイス・ボルヘス著、土岐恒二訳『不死の人』（白水社）
96 フリオ・コルタサル、土岐恒二訳「石蹴り遊び」（『世界の文学29』集英社）
97 マリオ・バルガス＝ジョサ、桑名一博訳「ラ・カテドラルでの対話」（『世界の文学30』集英社）
98 ガブリエル・ガルシア＝マルケス、鼓直訳『百年の孤独』（新潮社）
99 ホセ・ドノソ「夜のみだらな鳥」（『世界の文学31』集英社）
100 カール・マルクス＋フリードリヒ・エンゲルス、古在由重訳『ドイツ・イデオロギー』（岩波文庫）

101 折口信夫『死者の書』（中公文庫）
102 折口信夫『古代研究』（中公文庫）
103 柳田国男『山の人生』（角川文庫）
104 柳田国男『遠野物語』（角川文庫）
105 南方熊楠『十二支考』全三巻（東洋文庫、平凡社）
106 保田與重郎『保田與重郎著作集』（南北社）
107 三角寛『サンカ社会の研究』（朝日新聞社）

108 吉本隆明『共同幻想論』（角川文庫）
109 吉本隆明『初期歌謡論』（河出書房新社）
110 小林秀雄『ドストエフスキイの生活』（新潮社）
111 小林秀雄「Xへの手紙」（『小林秀雄全集　第二巻』新潮社）
112 江藤淳『小林秀雄』（角川文庫）
113 山口昌男『文化と両義性』（岩波書店）
114 山口昌男『道化の民俗学』（新潮社）
115 松田修『日本逃亡幻譚』（朝日新聞社）
116 松田修『闇のユートピア』（白水社）
117 高取正男『神道の成立』（平凡社）
118 角川源義『語り物文芸の成立』（角川書店）
119 中村雄二郎『魔女ランダ考』（岩波書店）
120 谷川健一『青銅の神の足跡』（集英社）
121 網野善彦『無縁・公界・楽』（平凡社）
122 吉田敦彦『ヤマトタケルと大国主』（みすず書房）
123 川村二郎『語り物の宇宙』（講談社）
124 秋山駿『定本 内部の人間』（小沢書店）
125 梅原猛＋中上健次『君は弥生人か縄文人か』（朝日出版社）
126 柄谷行人『マルクスその可能性の中心』（講談社）

127 柄谷行人『日本近代文学の起源』（講談社）
128 柄谷行人『畏怖する人間』（冬樹社）
129 柄谷行人『意味という病』（河出書房新社）
130 三浦雅士『私という現象』（冬樹社）
131 蓮實重彥『小説論＝批評論』（青土社）
132 高橋悠治『ことばをもって音をたちきれ』（晶文社）
133 坂本龍一『Avec Piano』（思索社）
134 矢沢永吉『矢沢永吉激論集 成りあがり』（小学館）
135 ジョン・ケージ＋ダニエル・シャルル、青山マミ訳『ジョン・ケージ 小鳥たちのために』（青土社）

136 ロラン・バルト、篠沢秀夫訳『神話作用』（現代思潮社）
137 ロラン・バルト、渡辺淳・沢村昂一訳『零度のエクリチュール』（みすず書房）
138 ミルチャ・エリアーデ、堀一郎訳『シャーマニズム』（冬樹社）
139 ジョルジュ・バタイユ、澁澤龍彥訳『エロティシズム』（二見書房）
140 ジョルジュ・バタイユ、生田耕作訳『呪われた部分』（二見書房）
141 ジャック・デリダ、高橋允昭訳『ポジシオン』（青土社）
142 ジャック・デリダ、若桑毅・梶谷温子他訳『エクリチュールと差異』上・下（法政大学出版局）

143 ルネ・ジラール、古田幸男訳『暴力と聖なるもの』（法政大学出版局）

144 モーリス・ブランショ、小浜俊郎訳『ロートレアモンとサド』（国文社）
145 レオン・トロツキー、内村剛介訳『文学と革命』Ⅰ・Ⅱ（現代思潮社）
146 オクタビオ・パス、牛島信明訳『弓と竪琴』（国書刊行会）
147 ジョリス＝カルル・ユイスマン、澁澤龍彥訳「さかしま」（『澁澤龍彥集成 第六巻』桃源社）
148 ジル・ドゥルーズ＋フェリックス・ガタリ、豊崎光一訳『リゾーム』（「エピステーメ」一九七七年十月臨時増刊号、朝日出版社）
149 エリック・ホッファー、柄谷行人・柄谷真佐子訳『現代という時代の気質』（晶文社）
150 『音楽の手帖 ジャズ』（青土社）

＊一九八四年、東京堂書店神田本店でのブックフェア用に配布されたパンフレットをもとに作成。版元は当時のもの。

編者解説

髙澤秀次

本書収録中の「現代小説の方法」と題する四回連続講座は、一九八四年の五月から六月にかけて、東京堂書店（神田本店）で行われたもので、小冊子の形ではあるが、中上健次の十三回忌を記念し、熊野市地方研究会・新宮市立図書館発行の『熊野誌』第五十号別冊として、二〇〇四年七月に刊行されている。和歌山県新宮市の中上健次資料室（新宮市立図書館内）の協力を得、資料収集委員の一人である筆者が監修したもので、発刊直後に小部数東京堂書店で販売を引き受けていただいた他は、ほぼ新宮市内に販路が限られていたため、今回ここに「未刊行」扱いで収録することにした。以下（I）は、右別冊に「解題」として書いたもの（一部加筆）である。なお、「現代小説の方法」というタイトルは、当時の宣伝パンフレットに従ったもので、初回講座で中上は「現代小説作法」と語っており、直前にタイトルを変更したとも考えられるが、内容に鑑み編者の判断でそのままにした。天性のオルガナイザーであった中上は、月曜日の夕刻集まった本講座の受講者を中心に、その後「読書会」を組織したことを付記しておく。

(I) 地の果てから、今ここへ

「エスパース・デポック」(時代空間)と銘打たれたこの公開講座は、東京堂書店が、変容する出版文化状況に対応したイベントとして、一九八四年に企画したもので、中上を含め九人の講師陣によって行われた。同書店六階のサロンに四、五十名の受講者を集めて、各講師がそれぞれのテーマで週一度、二時間の講座を四回受けもつという趣向である。講師陣には、中上健次のほかに谷川俊太郎、浅田彰、古井由吉、蓮實重彦、赤瀬川原平、岩井克人、柄谷行人、沢木耕太郎(担当順)の各氏が名を連ねていた。

本書巻末に付した「中上健次氏の本棚——物語/反物語をめぐる150冊」は、右連続講座と並行して行われたブックフェアのためのリストである。因みに同じ時期に、「ポスト構造主義をめぐって」を担当した「浅田彰氏の本棚——構造主義/ポスト構造主義をめぐる150冊」、翌年五月~六月に「ヴィトゲンシュタインとマルクス」を担当した「柄谷行人氏の本棚——モダン/ポスト・モダンをめぐる200冊」も、同書店内に「エスパース・デポック図書館」として展示された。いずれも八〇年代ならではの企画と言えよう。

ところで、この連続講座の開かれた一九八四年という年は、体力にまだ余裕を残していた中上健次にとっての、「地の果て」への旅の始まりを告げる画期点だった。当時の録音テープを聴くと、旅の垢を落とす間もなく、慌ただしく会場に駆けつけた作家が、その余韻を濃厚に引きずりながら、まさに〝異界〟からの帰還者として、語り始めているような熱気と非日常感が伝わってくる。

事実中上は、韓国―香港―フィリピン―パキスタン―インドネシア―韓国―フィリピンと、この年だけでもこれだけの海外渡航を繰り返しているのだ。さらにその間に、富山県利賀村での国際演劇祭に顔を出したり、角川春樹と吉野や遠野を旅し、また相も変わらず新宿で飲み続けていたのだから、三十代後半の精気溢れる頃とはいえ、やはり疲労は確実に蓄積していっただろう。改めて年譜をたどってみると、早くもこの翌年、作家が旅先のドイツで急性B型肝炎に倒れ、急遽帰国を余儀なくされているという事実に突き当たる。

この間の執筆活動も、並みのペースではなかった。『日輪の翼』、『物語ソウル』、『熊野集』、『紀伊物語』に加え、この八四年には『中上健次全短篇小説』も刊行されている。四十代を前にした、中期の収穫期と位置づけてもさしつかえあるまい。加えて新たな連載小説が、『異族』(「群像」)と『野性の火焔樹』(「ブルータス」)の二本。だがそれは、前年の『地の果て 至上の時』で頂きをきわめた作家の、苦しい悪戦の開始をも意味していたのだった。

具体的に講座の内容を振り返っておこう。最終回となった第四回講座で、まず『岬』という作品に表れた「土」が、農耕的な「土」ではなく、「そういうものから切れている土」であると語った作家は、次の『枯木灘』から『地の果て 至上の時』では、農耕的な世界を「遊牧的」に壊そうとしたのだと、鮮明に自作の意図を解説している。

ただし、中上はそこで満足し、のぼせ上がっていたわけでは決してなかった。『地の果て 至上の時』を書き終えた作家として、彼はそれまで描き続けてきた「路地」世界が、一定の根拠地ではなく、むしろ無根拠であり、宙に吊し上げられるという極めて不安定な状態にあったことを語る。それゆえの「地の果て」であり、「至上の時」なのだと。

さらにその次ぎを書こうにも書き得ずに、「一歩も二歩も後退」していることを率直に認める中上健次は、この作品によって、いかに自らが困難な場所に立たされているかを、冷厳に直視していたと言うべきであろう。

『熊野集』で「路地」の解体を、虚実の皮膜が危うく揺れ動くように描いた中上は、では自分が表現してきたその場所が、目前で解体されるのに立ち会った作家が果たしていただろうかと問いかける。ドストエフスキーにとってのペテルブルグが、フォークナーにとってのアメリカ南部が、カフカにとってのゲットー（プラハのユダヤ人居住区）が確かに「ある」のに、中上の「路地」だけが、今や何処（どこ）にも「ない」ことの不条理。その痛切な自覚からはじまる中上健次の旅は、だから無根拠性に基づく「路地」を、「さらに読み解いていくため」の、「地の果て」への脱出でなければならなかった。

確かにペシャワールにも新宿二丁目にも、そのヒントは転がっていた。この四回の講座には、「路地」の外へと向かう中上が、移動中に素早く拾い集めた諸断片に輪郭を与えつつ、「現代小説の方法」を模索する過程が、生々しく映し出されている。

例えば、アフガン難民の息子アミン少年が、連絡のつかないタクシー運転手の父親の消息を探るために、電話という手段をはなから放棄し、その仲間たちの溜まり場に直接足を運ぶことの迂遠さ。その一見無駄とも思える少年の身振りに、現代小説の問題が潜んでいるのだと中上は語る（第一回講座）。アミンが足繁く通うその溜まり場は、中上の小説に置き換えるなら、「路地」世界の情報交換の場であり、噂の飛び交う「天地の辻」と名づけられたトポスにも通底していたのではなかったか。

そこに何度も足を運び、愕然と引き返してくるアミン、「近代」の常識を無視したその迂遠さの選択にこそ、小説という散文的メディアの最も原初的な動機が隠されていたとするなら、電話という便利な道具は、かえって小説を阻害し、人間的「交通」を阻害するものだったのかも知れない。

凡庸な戦略としての「反近代」をも突き抜け、優れて中上的な感性が全開になるそうした「地の果て」との遭遇、「路地」の彼方に彼が求めていた「至上の時」のリアリティとは、そのような発見の中にしかあり得なかった。中上健次の「現代小説の方法」とは、「例えばアミンがたどった道を書くこと」が、「小説を良く書く」ということにつながることを、読者にヒントとして指し示す、実践のうちに現れた何ものかであったのだ。

だがそれにしても、東西冷戦の末期、アフガン紛争さなかのペシャワールまでやって来て、行方知れずになっている難民の、未成年の息子に眼をつける中上健次の作家魂は、他に比類のないものであったとつくづく思う。こうした独特の嗅覚、シャーマン的資質がもたらす旅先での中上的なコミュニケーション・スタイルと、そこから紡ぎ出される言葉は、やはりこの作家の貴重なユニークさを物語って余りある。

ホテルのベルボーイに導かれて、ソウルの「路地」を発見した時にも、あるいはバリ島のガイドに、日本の演歌を仕込みながら、掛け合い漫才の突っ込みを演じた時（『スパニッシュ・キャラバンを捜して』）にも味わったであろう作家にとっての「至上の時」を、アフガン戦争のただ中でも貪欲に求め続ける中上健次。こうしたアジアの「地の果て」の最下層に生きる若者たちと、じゃれ合いつるみ合う作家は、日本における彼らの同類として、旧赤線地帯の新宿二丁目のオカマバーで〝売り専〟を生業（なりわい）とする若者に出会う。

コールガールを母親にもつ彼は、万引き少年から、マッサージ師へ、さらにホストクラブのホストから、男色の売り専へと転々と職を換えていた。第四回講座で中上は、この若者のことを熱っぽく語り、そうした過去を背負った彼の「今」が、ガルシア＝マルケスの文学世界にも通じていること、文学の生まれる「場所」とは、まさに現代において彼が立っている、新宿二丁目のような場所であって一向に不思議ではないことを示唆するのだ。

そこを現代日本の〝最前線〟として、やがて作家は『讃歌』を書き、劇画原作『南回帰船』を書くことになるのである。「地の果て」の、さらなる果てのトポスへの旅の意志に支えられながら。それが「路地」の解体後、自ら退路を断つように世界に向かった中上健次の立ち尽くした、根拠地とは異なる終焉後の予感に満ちた孤独な場所だった。

因みに、冷戦終結と昭和の終焉のちょうど五年前という、微妙な時期に開かれたこの連続講座は、日本のポスト・モダンブームの隆盛期に当たってもいた。そこで、ジャック・デリダやジル・ドゥルーズや、ミシェル・フーコーといったフランスの現代思想家たちの名が、講座の中で飛び交うことにもなる。さらには、ニューアカデミズムの旗手、浅田彰や中沢新一の名前が。

そうした知的応接の消耗戦から身を翻した中上が、一時的に「天皇」問題に深々とコミットすることになったのは周知の通りだ。さらにそこから、いま一度の旋回を試みたのが、湾岸戦争に際しての柄谷行人らとの「文学者の戦争反対声明」である。この後、中上が長生きしていれば、当然、9・11テロ事件やイラク戦争に対しても何らかの発言なり行動があっただろう。「地の果て」を、今ここに接続する中上の獰猛で繊細な想像力が、バブル崩壊後の世界とどう渉り合えたか、それは現在の私たち自身に向けられた、重大な試金石にほかなるまい。

(Ⅱ)「愛の作家」三島由紀夫の奪還

次に「ワープする物語の魅力」は、「昭和五十八年度東京学芸大学国語国文学学会　春期大会」での講演記録で、「学芸国語国文学」(八四年三月)に掲載され、初めて本書に収録された。このなかでは、中上自身のチェックを通過した唯一の講演である。正確にいつ行われたかは不明であるが、話の中にある「白井さん一家」殺害事件が八三年六月二十七日に起きていることから、『地の果て 至上の時』(八三年四月刊)の完成以降であることが確かめられる。

先の連続講座と時間的にそう距(へだ)たりがあるわけではないこの講演からは、まだ作家・中上健次に蓄積された「疲労」の痕を感得することはできない。ここで繰り返し述べられている、物語の主人公が原型的に「みなし児(ご)・私生児」であること、その出所でもある物語創出のための「最初の空洞」を、疑似神話空間＝被差別空間としての〈うつほ〉と名付けていることについては、七〇年代から八〇年代にかけての中上の一連の物語論に親しんできた読者には、もはや多言を要すまい。

その〈彼方〉の場所(＝「異界」)が、「定住者の側の世界認識」の外、すなわち「境界の向う側」であり、例えば『宇津保物語』の主人公・藤原仲忠が〈うつほ〉の中でかき鳴らす琴の音のバイブレーションが、ジャズやレゲエ、タンゴやフラメンコといった、強い力をもつ音楽の出所にも繋がっていることへの想像力も、確かに中上に固有のものであっただろう。ボーダーを越えた「境界の向う側」の「物語」に対し、作家は愚直なまでにアナーキーな姿勢を崩さない。だがここでの中上はなお、ボーダーをめぐるその「最初の虫食いの穴」を発見した、幸福な物語作者の一人にすぎなかったのだ。

芥川賞受賞作『岬』から『枯木灘』への飛躍に安住せず、「路地」の「みなし児・私生児」たちの物語を、究極の「仮母」オリュウノオバにより、彼らの知らない親たちの物語に接続させた『千年の愉楽』を経て、『地の果て 至上の時』にたどり着いた作家は、この後、躊躇(ためら)うことなく彼自身の発見した物語の原型を解体する「境界の向う側」に越境していったのだから。

疑似神話空間としてあった「路地」の解体を、自明の前提として、それ以降の世界をどう描くか。その自覚の深まりとともに、物語の定型を大きく逸脱し、疑似神話空間内での物語的恩寵からも決定的に見放された中上健次の未踏の悪戦苦闘がはじまる。だからこれ以後の中上にとっての「地の果て」への旅は、〈うつほ〉の外に出た「みなし児・私生児」たちの物語的「交通」の模索という、切実な作家的実践と重なっていたはずなのである。

その意味で、ここに収録したもう一つの未刊行講演、八五年十一月にフランスの高等師範学校(エコール・ノルマル・シュペリウール)（パリ）で行われた「三島由紀夫をめぐって」▼1が重要なのは、必ずしも日本国内で隠蔽された三島問題（「二つの隠された事実」）の海外での暴露という、スキャンダラスな装いによってではない。

初めて活字化されたこの講演の重要性は、あくまで『仮面の告白』の作者にとっての〈うつほ〉の外を、彼の抱えた「ボーダー（境界）」の問題として捉え直したこと、あるいは「病としてのアジア」を、中上と共有する作家として三島を再 - 発見したことにかかっているのだ。

後に昭和天皇の死（日本の八九年問題としての）に際して、「日本の二つの外部」という文章（two kind of outcaste）に危機的にかかわる作家としての三島由紀夫を、ここで問題にしているのだ。（『中上健次全集15』所収）を公にした中上は、「天皇」と「部落」というその「二つの外部」（two kind of outcaste）に危機的にかかわる作家としての三島由紀夫を、ここで問題にしているのだ。死に臨んで彼の口にした「天皇」を、「北方的」に還元せず、絶えず「病としてのアジア」に、いわばタテではなくヨコの関係に、「北方的性格」ではなく「南方的性格」に置き換え、別の何ものかに変成するためにだ。

そこで『仮面の告白』において、「根の母の悪意ある愛」を語り、「汚穢屋（おわい）」というアブジェクトな他者への欲望を、「悲劇的なもの」への羨望の眼差しとして語った「私」の物語は、容易に「天皇」に回収されることなく、ボーダーを越えて、古代インドの大叙事詩『ラーマーヤナ』の「王子」の物語の方へと開かれてゆくことになろう。

そうした読み替えによってこそ、「ホモセクシュアル」、あるいは「天皇」と「部落」という「二つの外部」に疎外された三島由紀夫というクイアーな「みなし児・私生児」は、「病としてのアジア」の可能性を担う作家に変態をとげるのだ。中上はこのパリ講演で、文壇的隠蔽装置から三島由紀夫を奪還することを企てていたのではなかったか。日本的タブーの対象でもある二つのアウトカーストを、そのような作家の南方的想像力を介して横倒しに外に開いた時、三島ははじめて「隠されてある愛」の呪縛から解き放たれ、中上と同じ地平に立つ「愛の作家」として、再生することができるのである。

例によって例のごとく、ここでの中上の語り口は、どこまでも無骨であり、「高等師範学校」での講演には、およそ相応（ふさわ）しからぬものであったかもしれない。だが、ここに収録した貴重な講演は、ただの思いつきでも、はったりでもなかったのだ。あえて言うなら、周到に準備された中上的「放言」とでも言おうか。思えばこの八〇年代半ばから後半にかけて、中上は集中的に三島由紀夫について語り、論じていたのであった。

ざっと数え上げただけでも、坂本龍一との対談「三島由紀夫の『復活』」（「文學界」八六年二月号、『中上健次発言集成2』所収、因みにそこに注記されたパリでの「三島についての講演」が、同6巻所収とあるのは誤り）。四方田犬彦との対談「転生・物語・天皇――三島由紀夫をめぐって」（「國文学」八六年七月号、『中上健次発言集成2』所収）。宮本輝との対談「今、三島由紀夫を語る」（「波」八七年十一月号、『中上健次［未収録］対論集成』所収）。さらに中上自身によるアンソロジー『群像日本の作家18　三島由紀夫』（九〇年、小学館）の序文として書かれた、「三島由紀夫の短編」（『中上健次全集15』所収）などがある。

宮本輝との対談で、「三島さん本来のもの（短篇）」として「剣」、「憂国」、「英霊の聲」、「孔雀」、「蘭陵王」の五篇を挙げた中上は、このアンソロジーでは「煙草」、「サーカス」、「卵」、「新聞紙」、「施餓鬼舟」、「百万円煎餅」、「荒野より」の七篇を選んでいる。「三島由紀夫の短編」は、このうち「荒野より」のみを対象とした小論である。

中上はここで、「私小説」を拒絶する文学観を堅持していたかにみえる作家が、この作品で父、母、妻に加えて「三島、と名の出てくる〈私〉」を登場させたことに注目している。たんなる物取りではなく、三島の自宅に闖入してきて、「本当のことを話して下さい」と語る「青年」の極度に蒼ざめた顔を見て、「私は自分の影がそこに立っているような気がしたのである」と、作者はあられもなく語る。中上はそこに、「〈私〉ではないもう一人の〈私〉」、「私は私である、という考えではなく、私は他者である、という考えを選んだ作家」を発見し、改めて「私と他者を楽々と往還する魔術」の見事さに瞠目しているのだ。

パリ講演で語られた、「私が彼になりたい」、「私が彼でありたい」という欲望が、ここでは自らの「影」＝「分身」でもある「他者」に侵入され、「私」をめぐるボーダーをなし崩しにされかけた作家の危機的様相として語られている。

あるいはまた、坂本龍一との対談での次の発言にも、パリ講演の余韻を認めることができよう。シリーズ「戦後文学とは何か」の一環として行われたこの異色対談で、中上は戦後文学の硬直を招いた「北方的な性格」を問題にし、三島の小説をタテのツリー状に捉えるのではなく、全部ヨコにしてみるとどうなるかと問い直してみる。すると直ちに、「ボーダーの問題」が見えてきはしないか。

三島由紀夫問題のアポリアとも言える「ホモセクシュアル」にしても、決定的な視点の変更が必要であろう。ジェンダーそのものを、固定したものではなく、そうしたボーダーの戯れとして見ること。南・北、タテ・ヨコの自在な組み替えによってこそ、それは可能になるのだ。例えば「南」を導入することで、あの衝撃的な「三島事件」を、生首が転がる『ラーマーヤナ』の一筋として読み直すことも不可能ではないし、さらにそれさえも、作家の自己演出であったと言えなくもないだろう。

四方田犬彦との先の対談では、単刀直入に、「三島を南方的な想像力をもとに捉え直す」ことが提案されている。その執拗な問いかけの根底にあったのは、三島由紀夫と「血が同じだ」という中上の「接近感」がもたらす、彼ならではの「愛」と「反撥」のアンビヴァレントな感情であった。こうして、「世界の原初の戦争――二つの『マハーバーラタ』」（「新潮」八五年十一月号）を書いた直後の四方田犬彦との間に、三島のボーダーをめぐって、パリ講演の再演とも言える真摯な対論が成立したのである。

ところで私たちは、三島由紀夫問題にコミットしたのと並行して、八〇年代後半の中上健次が、余りにも無防備に「天皇」を口にしていたことを知っている。岡野弘彦との対談（「天皇の手紙」、『中上健次［未収録］対論集成』所収）では、昭和天皇を「あの人はすーごい人だと思う」と興奮気味に語ってさえいた。この時期の中上健次の〝右傾化〟をあげつらいたい向きには、そうした片言隻句を回収するのにさして苦労はいらないだろう。

だが重要なのは、いかに中上が「右翼」を装おうとも、そこに南方的な想像力が働いている限り、天皇だろうが、三島由紀夫だろうが、戦後文学だろうが、もはや北方的な樹状の世界に内閉することは許されないという厳然たる事実なのだ。翻って三島由紀夫に対する中上の批評の狙いは、「ホモセクシュアル」、「右翼」、「天皇」といったこの作家に付着した安易な符牒を引き剝がし、そうした悪しき記号作用そのものから、三島を丸ごと奪還し、改めてそれらの符牒を解体するボーダーに立つ作家として定位することだったのである。その知的企みは、凡庸なナショナリストや右翼の到底なし得るものではなかった。

そこからまた、八〇年代以降の中上の作品行為の両義的可能性も見えてこよう。『異族』、『大洪水』、『南回帰船』（劇画原作）など、中上晩年の作品に登場する「みなし児・私生児」たちが、「日本」というボーダーを越えてアジアの南方をめざしたのは、必ずしもそこが、「癒し」を約束された場所だったからではない。一見、母系的なるものの起源への回帰とも見紛うその「南」には、いつも不吉なことしか待ち受けてはいなかったのだから。

そこで露呈するものとは、端的に「天皇制国家」のリミットそのものだったのである。『異族』に登場する在日韓国人二世の「シム」は、「路地」＝アウトカーストを出自とする「タツヤ」に、フィリピンのダバオで「右翼」になることの無効性について、致命的覚醒が訪れたかのように次のように語っている。

「……ところが、ここに来て、弾機（ばね）が切れた。弾性限界が来て、ゴムが切れてしまった。何故だと思う。ここに天皇がいないから。ここが天皇の統治する国の国境を越えた向うの、一日にテロと爆弾で何人も死ぬフィリピンのダバオだからさ。お前はもう右翼になれない。いや、日本人になれない」と。

　そのように、北方的「天皇制」の限界を、ボーダーに立つ「みなし児・私生児」の視点から暴露して見せた作家が、なろうにも「右翼」になどなりきれないことは、あまりにも自明だったのだ。一九八五年のパリで、三島由紀夫を「右翼」的文脈から奪還した中上は、その後、昭和の終焉を挟んだ九〇年に、フランクフルトで「私は〈日本〉人なのか」と題する講演を行う。そこで彼は、「私の日本語がおかしい」と指摘した「日本の作家」を念頭に、ルサンチマンの表白とはおよそ無縁な態度で、静かにこう自問していたのだ。

「〈日本〉と〈私〉は、どうつながるのか。重なっているのか、切れているのか。私の書くのは〈日本〉なのか。私は〈日本〉人なのか」（『中上健次発言集成6』）と。

　同じ日、東西ドイツ統合のその記念すべき日に、三島由紀夫とは別の意味で、最も気になる作家だった大江健三郎に、フランクフルトの講演で再会した中上は、あろうことかそこで「大和魂」という言葉を口にした大江に愕然とし、帰国後苛烈な批判を行っている（髙澤編『中上健次と読む「いのちとかたち」』第15章「南からくるもの」参照）。

　先のパリ講演で、中上は大江を、ボーダーを越えられない「国境の内部の人間」と一括している。その彼がかつて同じ枢軸国だったドイツの作家と国民を前に、「大和魂」と口走ったことの無神経さに対して、中上は怒りを発したのである。

南方的視点から、「天皇」を「病としてのアジア」の象徴として捉え直した中上健次にとって、後のノーベル賞作家・大江健三郎は、所詮その「病」とボーダーの戯れを共有することのできない〈日本〉人だったのである。

一九九二年八月二日、死の床に横たわる中上健次は、四十六歳の誕生日を迎え、三島由紀夫の生年を一年超えたことをたいそう喜んだという。

「病としてのアジア」を生き抜いたボーダーの作家が、紀州熊野の地に仆れたのは、それから僅か十日後のことであった。

▼1　正確なタイトルは未詳。なお『千年の愉楽』の仏訳者・宮林寛氏の示唆によると、本講演は当時、「現代日本のクリエーター」という連続企画の一環として、中上作品の仏語訳の版元でもあるファイアール社の後援で行われたもの。講師には中上の他に、柄谷行人、吉田喜重、中沢新一、浅田彰、四方田犬彦の各氏などが招聘され、一九八七年十二月まで足かけ三年にわたって続けられた。

増補改訂版への付記

このたび、中上健次の没後三十年に当たり、二〇〇七年刊行の『現代小説の方法』の増補改訂版が刊行されることになった。増補改訂に当たり、新たに「音の人　折口信夫」（初出、「海燕」一九八四年二月号）、「坂口安吾・南からの光」（同、「文學界」一九八五年十一月号）の二本の講演を収録する。いずれも、『時代が終り、時代が始まる』（福武書店、一九八八年九月刊）所収の講演で、『現代小説の方法』と時期的にも近く、『地の果て 至上の時』（一九八三年）以後の中上の創作上の指針を明確にしたものである。

「坂口安吾・南からの光」で語られている、「北方的性格」に対置された「南方的性格」、「〈南〉の要素」と「アジア一帯に浸透している『母の文化』」との関係、とりわけ安吾における「庶民の女の眼」、「母の眼」を喚起していることはいま改めて注目される。

ここで中上健次は、インドネシア・バリ島を訪れ「魔女ランダ」という「大母（グレート・マザー）」の「悪」の力を、安吾が発見した「女の力」のアジア的な土壌として参照しているわけである。

ちなみに同じ『時代が終り、時代が始まる』には、「もうひとつの国」という長篇評論が収録されており、ここでも魔女ランダを媒介に「南の記憶」を喚起、紀州三部作の主人公・秋幸の

「真の敵は、母フサであるはずだ」と述べ、浜村龍造の自死によって未遂に終わった父殺しを、反転させるテーゼを惜しげもなく披瀝している。安吾の作品世界から、「母殺し」のテーマを引き出したのも、中上をもって嚆矢とするのではあるまいか。

安吾をめぐってはまた、「『白痴』の舞台は、かつての被差別部落である」という優れて中上的な洞察（＝発見）も盛り込まれている。

「音の人　折口信夫」では、『地の果て 至上の時』から次回作『日輪の翼』への転回に、「山越しの阿弥陀像の画因」がかかわっていたという、これまたスリリングな「自註」が加えられている。

さらには、『千年の愉楽』のオリュウノオバ（「路地」の語り部）と、当麻語部嫗（たぎまのかたりのおむな）（中将姫伝説の語り部）を重ね、「路地」の毛坊主・礼如を、折口信夫その人の生き写しのように語る中上の引き寄せの力にも、今さらながら非凡な想像力を思い起こさせる。

折口没後三十年を記念してのこの講演中には、物語の主人公の条件として、中上が繰り返し指摘してきた「孤児・私生児」という特性が反復的に語られている。重要なのは、そこで作家が、「孤児私生児はいったん死んでから生き返ったもの」であることを強調している点だ。この死と再生の物語構造を引き受けつつ、いかにそれをずらし脱構築するかというのが、『地の果て 至上の時』以後、「路地」という中心的トポスの解体以後の創作上の課題だったことは言うまでもない。

未刊に終わった晩年の『大洪水』、『異族』に見られるように、「路地」世界に働いていた求心力から解き放たれた中上的世界の住人たちは、遠心力の赴くままに汎アジア的に散種されることになるのだ。

最後に安吾を語るに際し、そのカウンター・パートとしての太宰治について否定的に語り、「音の人　折口信夫」の異能にオマージュを捧げる中上が、あえて柳田国男を「普通の人」と呼んでいることも看過すべきではあるまい。『日本書紀』ではなく『古事記』を、『源氏物語』ではなく『宇津保物語』を、『平家物語』ではなく『太平記』を躊躇なく選択した中上健次は、また本居宣長ではなく上田秋成の方に迷いなく就いた作家でもあったこともこの機会に銘記しておきたい。

本増補改訂版が中上文学への格好の案内書となり、同時にまた若い読者が現代文学の扉を開くための方法的な試金石となることを編者として祈念して止まない。中上健次の小説がそうであるように、彼の講演は直接、自身の手が入っているか否かに関わらず、本質的にアンリーダブルであることを、読者諸氏は没後三十年における「可能性の中心」として再発見されるであろう。

中上健次（なかがみ・けんじ）

1946～1992年。小説家。『岬』で芥川賞。『枯木灘』（毎日出版文化賞）、『鳳仙花』、『千年の愉楽』、『地の果て 至上の時』、『日輪の翼』、『奇蹟』、『讃歌』、『異族』など。全集十五巻、発言集成六巻、全発言二巻、エッセイ撰集二巻がある。

髙澤秀次（たかざわ・しゅうじ）

1952年生まれ。文芸評論家。中上関連の著書・編書に『評伝 中上健次』、『中上健次事典』、『中上健次エッセイ撰集』（全二巻）、『中上健次［未収録］対論集成』など。監修に別冊太陽『中上健次』、『電子版　中上健次全集』。

現代小説の方法【増補改訂版】

2022年8月2日初版第1刷印刷
2022年8月12日初版第1刷発行

著　者　中上健次
編・解説　髙澤秀次

脚註作成　前田塁＋髙澤秀次
編集担当　青木誠也
編集協力　中上かすみ、山本均、田中元貴、鶴田賢一郎

発行者　青木誠也
発行所　株式会社作品社
〒102-0072　東京都千代田区飯田橋2-7-4
TEL.03-3262-9753　FAX.03-3262-9757
https://www.sakuhinsha.com
振替口座 00160-3-27183

装　幀　小川惟久
装　画　幸野楳嶺
本文組版　前田奈々
印刷・製本　中央精版印刷株式会社

ISBN978-4-86182-929-1 C0095

【作品社の本】

New 柄谷行人
Associationist
ニュー・アソシエーショニスト宣言
Manifesto

作品社

ニュー・アソシエーショニスト宣言

柄谷行人

世界変革への“新たなる宣言”！
「資本＝ネーション＝国家」への対抗運動は、3・11を経て、
コロナ禍に直面し、より現実的なものとなってきた。
一つの運動体としての「NAM」を総括し、
一般名詞としての「ニュー・アソシエーショニスト・ムーブメント」へ。
21世紀世界の変革に向けて、新たにアソシエーションの可能性を宣言する！

ISBN978-4-86182-835-5

【作品社の本】

魂の錬金術

エリック・ホッファー全アフォリズム集

中本義彦 訳

いま最も注目を集める〈沖仲仕の哲学者〉エリック・ホッファー待望の最新刊
波瀾の生涯から紡ぎだされた魂の言葉475
沖仲仕の哲学者・ホッファーのすべてがここにある。

ISBN978-4-87893-527-5

【作品社の本】

エリック・ホッファー自伝

構想された真実

中本義彦 訳

ホッファーのように生きつづけたい——中上健次
港湾労働者にして哲学者、ハンナ・アレントの友人にして
中上健次が愛した思索者エリック・ホッファー。
失明、両親の死と孤独、自殺未遂、10年にわたる放浪、
そして労働と思索の日々……。
1920年、30年代のアメリカの貧民街、農場、鉱山を舞台に、
苛酷な運命に翻弄されながらも社会の最底辺で生きぬいた経験と、
自身をとりまく個性あふれる人々との出会いと別れ、
そして生きることの意味を綴った比類なき自伝的回想。

ISBN978-4-87893-473-5